COLLECTION CONQUÊTES

directeur : Robert Soulières

Format poche

Grand format

ALLER
~~RETOUR~~

Des mêmes auteurs

Chez le même éditeur

    L'anneau du Guépard, recueil de nouvelles, 1987.

    Le don, roman, 1987. Prix du Gouverneur général 1987.

Chez un autre éditeur

    Mack le rouge, roman, Éditions Québec/Amérique, 1987.

Données de catalogage avant publication (Canada)

Beauchesne, Yves, 1948

  Aller Retour

  (Collection Conquêtes)
  Pour les jeunes

  978-2-89051-321-1

  I. Schinkel, David, 1944   II. Titre.   III. Collection.
  PS8553.E28A84 1986   jC84'.54   C86-096434-5
  PS9553.E28A84 1986
  PQ3919.2.B42A84 1986

DAVID SCHINKEL   YVES BEAUCHESNE

ALLER ~~RETOUR~~

Roman

ÉDITIONS PIERRE TISSEYRE
5757, rue Cypihot — Ville Saint-Laurent, H4S 1X4

Dépôt légal: 4e trimestre 1986
Bibliothèque nationale du Canada
Bibliothèque nationale du Québec

Illustration de la couverture:
France Brassard

Copyright © Ottawa, Canada, 1986
Éditions Pierre Tisseyre
ISBN 978-2-89051-321-1
18 19 IMLO 9 8 7
10558

1

Sortir du cauchemar

Dans le miroir qui se trouvait juste au-dessus de la commode, Martin observait les larmes qui coulaient sur son visage rouge et boursouflé.

Les seules choses qu'il semblait reconnaître comme lui appartenant étaient la rage et la douleur que ce visage défait lui renvoyait. Le reste ressemblait à quelque monstre qu'il avait vu dans la maison des miroirs quand sa tante Hélène l'avait amené à La Ronde, à Montréal. Ces glaces-là, il s'en souvenait, vous écrasent, vous étirent, vous gonflent. Elles vous réduisent à des formes tellement grotesques qu'il vous faut bouger pour vous assurer que c'est vraiment votre image qu'elles reflètent. Dans la maison des miroirs, l'expérience avait été très drôle.

Mais ici, maintenant, dans sa propre chambre et dans son vrai miroir, elle avait un goût de rage, de souffrance et de confusion.

Il n'en avait pas toujours été ainsi.

Il y a trois ans, alors que Martin avait dix ans et demi, il était venu habiter chez son oncle Réjean. Il adorait son oncle et était sûr que tout se passerait très bien. Après tout, ils étaient tous deux pris dans la même situation. Tous les deux, ils avaient ressenti la même douleur après l'horrible accident. Martin avait perdu son père et sa mère et l'oncle Réjean, lui, avait perdu Jocelyne, sa jeune épouse. Cette peine commune avait tout de suite cimenté leur attachement et renforcé les liens qui les unissaient déjà.

Martin grimaçait maintenant de douleur en essayant tant bien que mal de sécher ses larmes avec un T-shirt tout froissé.

Tous deux, son oncle et lui, ils s'étaient aidés mutuellement à panser ces plaies qui leur faisaient mal jusqu'au cœur. Ensemble, ils allaient au cinéma. Ensemble, ils passaient des heures à attraper les petits poissons des chenaux dans la belle cabane rouge que son oncle installait tous les hivers sur la rivière gelée. Et, par dessus tout, Martin aimait aller le voir jouer à la balle molle dans la ligue paroissiale. Martin avait toujours su qu'il pouvait compter sur Réjean, quoi qu'il arrive.

Jamais Martin n'oubliera cette première fois, en mars, il y a deux ans. Il était presque minuit lorsqu'il entendit des clés qui attaquaient la serrure de la porte d'entrée. En toute confiance, il avait couru vers la porte pour ouvrir. L'oncle Réjean n'était jamais rentré si tard sans avoir averti Martin d'avance. Même s'il n'avait pas vraiment eu peur, Martin s'était inquiété et s'était levé. L'étranger qui avait perdu pied et s'était affaissé dans l'entrée ressemblait bien à son oncle Réjean, mais Martin sentait que quelque chose n'allait pas. L'homme avait réussi à se remettre debout en s'accrochant à la petite table qui se trouvait près du portemanteau. Puis il avait soulevé la grosse lampe ronde et l'avait lancée sur le mur. Martin se rappelait clairement le regard de son oncle quand l'ampoule avait éclaté, illuminant l'horrible scène avec la rapidité d'un éclair. Il avait eu tellement peur qu'il avait couru se réfugier dans un coin du salon pour échapper à ce qu'il voyait, à ce qu'il ressentait. L'oncle Réjean titubait à travers la pièce en criant des choses que le garçon effrayé n'arrivait pas à saisir. Les grosses mains de cet homme devenu étranger agrippèrent Martin par sa chemise et le secouèrent avec une telle violence que le pauvre garçon ne pouvait plus voir, ne pouvait plus penser, ne pouvait plus entendre. Quand enfin il réussit à s'arrêter, l'oncle se laissa choir sur le sofa et s'endormit en sanglotant. Martin se tenait immobile, comme en transe, ramassé en boule sur le plancher, à l'endroit même où son oncle l'avait laissé tomber. Un long moment s'écoula avant qu'il pût rassembler ses idées. Ce qu'il éprouva alors n'était que solitude et douleur. Il avait ensuite rampé, lentement, jusqu'au sofa pour trouver du réconfort auprès du seul adulte qui lui restait. Il était demeuré là, sans bouger, éveillé, jusqu'à l'aube, respirant l'odeur fétide et imprégnée d'alcool qui s'échappait de la bouche de son oncle. Martin finit pourtant par se lever. Il jeta à la poubelle les plus gros morceaux de la lampe fracassée et se glissa finalement sous les draps de son lit.

Martin n'avait pas osé parler de cet incident avec son oncle. Le lendemain, Réjean avait dit à Martin de faire plus attention et de ne pas tout briser dans la maison. Martin avait été trop surpris pour dire quoi que ce soit. Bien que l'oncle Réjean soit rentré ainsi à la maison des dizaines de fois depuis, et souvent en bien plus mauvais état, qu'il ait battu Martin au point presque de lui faire perdre connaissance, c'était la toute première fois qui était restée gravée le plus clairement dans la mémoire du jeune garçon.

Cette fois-ci n'avait pas vraiment été différente des autres. Il savait que la douleur qui accompagnait chacun de ses mouvements se transformerait en marques bleues, ou plutôt violacées, d'ici au matin. Il savait que son oncle l'accuserait encore une fois de s'être battu. Mais surtout, il savait que c'était la dernière fois qu'il allait — la dernière fois qu'il pouvait — vivre un tel cauchemar.

Martin réussit à arrêter le flot de larmes de douleur et de frustration. Il s'assit sur le bord du lit et retira lentement ses chaussettes et son pantalon avant de s'étendre, avec beaucoup de précautions, sous les draps chauds et poser délicatement sa tête sur le grand oreiller de plumes.

Martin resta éveillé pendant des heures. Cette fois, il ne ressassa pas l'effroyable scène. Cette fois, il avait pris la décision de s'échapper. Alors seulement, il réussit à glisser dans un sommeil profond et paisible.

2

Marché conclu

CELA FAISAIT BIEN L'AFFAIRE DE Martin que le lendemain de sa dernière épreuve fût un dimanche. Cela voulait dire qu'il n'aurait pas de journaux à livrer. Martin avait travaillé très dur pour bâtir ses routes, une le matin et l'autre l'après-midi. Il avait réussi à trouver des clients tout autour de sa résidence et avait su persuader la plupart d'entre eux de s'abonner au *Nouvelliste* aussi bien qu'au *Soleil*. Comme ses clients étaient nombreux et situés dans un faible rayon, il n'avait besoin de se présenter qu'une seule fois chez chacun pour percevoir les paiements hebdomadaires. Les routes de Martin faisaient l'envie de tous les camelots du coin et l'orgueil de son employeur. Au cours des deux dernières années, le jeune homme avait réussi à économiser plus de 600$. Il rêvait de s'acheter une moto aussitôt qu'il aurait assez d'argent. La moto allait maintenant devoir attendre, il le savait bien.

— Ça m'a tout l'air que je ne vais plus livrer de journaux, dit Martin à voix haute.

Cela lui sembla bien. Et cela lui parut définitif. Martin tira de ses paroles un sentiment de sécurité. Il ne savait pas très bien ce qui allait lui arriver, mais il éprouvait un calme étrange, un calme qu'il n'avait jamais ressenti auparavant.

Il sentit son corps raide et douloureux quand il s'assit sur le bord du lit pour poser ses jambes sur le plancher. Il fut surpris de constater que les bleus n'étaient pas aussi nombreux que d'habitude. Dans le miroir, il put voir que son visage était presque revenu à la normale. Mais il y avait encore une marque bleu-vert sous la joue gauche et l'œil était devenu plus petit que l'autre. On aurait dit qu'il était figé dans un clin d'œil perpétuel.

Martin enfila son pantalon et sa chemise, laça ses bottes et traversa furtivement le salon. Il décrocha sa veste et, doucement, ferma la porte derrière lui. C'était un de ces matins de septembre ensoleillés et frais. L'haleine qui s'échappait de sa bouche comme de la fumée de cigarette lui confirma qu'il était encore en vie. Cette fraîcheur de l'air fit du bien à son visage et la douleur parut s'évanouir pendant qu'il se concentrait sur le sentiment de liberté que sa décision avait fait naître.

Martin ne suivit aucun itinéraire précis. Ses pieds menaient et lui, il suivait. Comme poussé par l'habitude, il refit le chemin qu'il avait parcouru presque tous les matins et presque tous les après-midi, ces deux dernières années. Il vit défiler les balcons et les portes d'entrée qu'il connaissait si bien. Un à un, il salua tous ces petits mondes qu'il avait entrevus l'espace d'un instant lorsqu'il faisait la collecte, une fois par semaine. Il eut une pensée pour chacun. Pour la vieille Mme Gingras. Pour Roger Gagné, sa femme Adèle et leur nouveau bébé tout rose. Pour la famille Thomson qui venait juste d'arriver de Thunder Bay afin que M. Thomson puisse travailler au moulin à papier. Et ainsi de suite. Martin n'oublia personne. C'était comme s'il voulait les graver à jamais dans sa mémoire, comme s'il voulait emporter tous ces souvenirs-là avec lui.

Arrivé à la dernière maison du parcours, il tourna le dos à cette brève incursion dans le passé. Dans sa tête, il rassembla tous ces souvenirs et en fit un petit paquet, comme le font les gens avec certaines lettres précieuses, et les rangea en lieu sûr.

Martin entra dans la rue Des Forges. Il voulait descendre jusqu'au port une dernière fois. Ce port avait été le seul endroit où Martin s'était vraiment senti libre ces deux dernières années.

Chaque fois qu'il en avait le temps, il venait se promener là où s'élevaient autrefois les entrepôts, au bas de la côte. Il rêvait alors à toutes les destinations lointaines que ces cargos aux noms bizarres allaient visiter. Certains jours, s'il était chanceux, un marin qui ne connaissait que quelques mots de français l'invitait à monter à bord et lui servait un chocolat chaud dans la salle à manger.

Aujourd'hui, il éprouva un pincement au cœur tandis qu'il marchait le long des bateaux amarrés, en saluant de temps en temps quelque marin qui prenait l'air sur le pont. Il ne ressentait pas comme d'habitude l'envie de se joindre à eux. Aujourd'hui, il était l'un des leurs. Il savait que, tout comme eux, il allait quitter Trois-Rivières, sans tambour ni trompette, pour commencer une vie nouvelle.

Ce n'est que tard dans l'après-midi que Martin remonta la côte. Le dernier dimanche qu'il s'était payé au vieux port était maintenant terminé. Il y avait beaucoup de choses à faire, des dizaines de détails à régler.

D'un pas assuré, il marcha vers la maison de Stéphane Cloutier. Stéphane était l'ami de Martin, son seul ami en fait. Bien que Martin n'eût jamais osé lui confier son redoutable secret, il n'en considérait pas moins Stéphane comme son meilleur ami. Les deux jeunes garçons s'entendaient à merveille. C'est à Stéphane que Martin confiait la livraison de ses journaux quand il allait

à Montréal visiter sa tante Hélène: deux semaines en été, tout le congé de Noël et une
semaine à Pâques. Jamais Stéphane ne l'avait
laissé tomber.

Bien qu'ils fussent amis, c'est aux affaires
que Martin songeait quand il sonna à la porte des
Cloutier.

— Quoi de neuf? dit Stéphane en faisant
claquer la porte de sa chambre. As-tu fini ton
devoir de maths pour demain? Moi, je n'ai rien
compris.

Stéphane et Martin étaient dans la même
classe à la Polyvalente. Ils partageaient souvent
leurs travaux scolaires. Stéphane était bon en
français, en histoire, et autres matières du genre,
mais il avait bien du mal avec les maths et les
sciences. Il n'avait pas le talent de Martin pour
saisir l'algèbre, la géométrie et la biologie. Deux
semaines seulement après le début de l'année,
Stéphane se sentait déjà perdu dans le monde
mystérieux des équations et des formules.

— Euh, non. Je n'ai pas encore commencé.
Je pense que je vais le faire ce soir. Écoute,
Stéphane, il faut que je te parle de quelque
chose.

— Vas-y. Ça ne serait pas à propos de Julie
Lambert? Tu sais, on en a déjà parlé...

— Non, non, ce n'est pas ça. Veux-tu acheter ma route?

— Ta route? Tu n'es pas sérieux. Tu ne vas pas vendre ta route!

— Ouais. Pour cinquante dollars. Est-ce que ça t'intéresse?

— Fantastique! C'est la meilleure route de toute la ville. Mais... je ne comprends pas. Pourquoi donc voudrais-tu la vendre?

— Écoute, Stéphane..., soupira Martin.

Il avait bien confiance en Stéphane, mais il ne pouvait parler de son projet à personne. Pas même à son meilleur ami. C'était trop important et il voulait éviter que la moindre chose puisse le faire échouer, ce projet.

— Je ne peux pas te le dire. Pas tout de suite en tout cas. Pour l'instant, fais-moi confiance. Marché conclu?

— Ouais, sûr. C'est une bonne affaire. Je vais aller à la banque demain midi. J'ai assez d'argent dans mon compte. Et quand veux-tu que je commence?

— Demain.

— Demain? D'accord, demain! dit Stéphane.

Une des qualités que Martin appréciait le plus chez son copain, c'était sa sensibilité. Il savait que Stéphane l'acceptait tel qu'il était. Jamais Stéphane n'avait insisté quand il sentait que Martin n'avait pas envie de parler. Stéphane était vraiment un ami.

18

Martin fut soulagé de ne pas voir son oncle lorsqu'il rentra à la maison, tard dans l'après-midi. Déjà, il avait eu l'impression de pénétrer chez un étranger quand il s'était dirigé vers sa chambre. Toutes ses choses préférées étaient bien là, comme avant. Pourtant, elles avaient un drôle d'air aujourd'hui. Comme si elles aussi savaient qu'elles n'étaient plus chez elles.

Martin prit un crayon et un calepin et s'étendit sur le lit. Il avait beaucoup de choses à éclaircir et à accomplir pendant ces dernières journées à Trois-Rivières.

3

En route

MARTIN SORTIT AVEC PEINE DU petit snack-bar éclairé au néon qui servait de terminus aux autobus. Bien qu'il fût trapu et fort, il n'était pas particulièrement grand pour un garçon qui allait avoir quatorze ans. Il dut donc se battre avec la valise, pas tellement à cause du poids — cela ne posait pas de problème — mais à cause des dimensions. Il se traîna dans l'air vif du soir jusqu'à l'ouverture pratiquée dans le côté de l'autobus Voyageur. Puis il lança sa valise dans la gueule de cette grande baleine de véhicule.

— C'est une bien grosse valise, ça. Qu'est-ce que tu complotes? Tu t'enfuis de chez toi? dit avec un sourire taquin le chauffeur en uniforme gris.

Martin sentit que son visage s'empourprait. Il avait lu quelque part que les gens aux cheveux pâles rougissent plus facilement que ceux aux cheveux foncés. Il ne savait pas si cela était vrai pour tout le monde mais, dans son cas, cela l'était certainement (il avait la chevelure blonde et fine de sa mère). Cette remarque du chauffeur l'avait rendu transparent. Un peu comme un poisson rouge dans son bocal : tout rouge et sans aucun secret. Martin ne répondit rien. Il remit son billet froissé à l'homme affable qui y fit immédiatement deux petits trous avant de le lui rendre.

— En tout cas, où que tu ailles, tu n'as certainement pas l'intention de revenir de si tôt. Un aller seulement...

Martin se sentit bien dans cet autobus faiblement éclairé et se dirigea tout de suite vers son siège préféré. Il aimait bien s'asseoir là, à l'arrière, juste à côté des toilettes. C'était le seul endroit où l'on pouvait jouir de quelque intimité. Et le siège était plus large que les autres. De la place pour trois. Avec un peu de chance, personne ne viendrait s'asseoir à côté de lui. À cause de l'odeur qui s'échappait des toilettes et du bruit que faisait la porte chaque fois qu'on l'ouvrait.

Martin regardait par la fenêtre sans vraiment voir grand-chose. L'autobus s'engagea bientôt sur l'autoroute et prit de la vitesse. Martin était agité et très nerveux. Mais il était certain que

22

tante Hélène comprendrait. Elle comprenait toujours tout. Elle était presque une mère pour lui et il adorait passer du temps avec elle. Elle l'aimait bien elle aussi, il le savait. À la manière dont elle riait de ses blagues, à la manière dont elle le caressait et à la tristesse qu'il voyait dans ses yeux à la fin de leurs rencontres, il savait qu'elle imaginait en lui le fils qu'elle aurait pu avoir.

Martin était tellement surexcité qu'il faillit vomir. Un peu comme s'il avait bu trop de café.

Puis, il y avait Mitcho. Cela avait été le coup de foudre quand tante Hélène et lui l'avaient vu, cet adorable chiot, à la Société protectrice des animaux. Tante Hélène s'était laissé convaincre de ramener la boule blond champagne à la maison. Dès la première journée, la jeune Grecque de l'épicerie du coin l'avait baptisé. Il ressemblait à un ourson, avait-elle dit, et son nom devrait être Mitcho. Ni Martin ni sa tante n'avaient saisi le lien que cela avait avec le nom, mais ils ne s'étaient pas posé plus de questions. C'était entendu, le chiot allait s'appeler Mitcho.

— Oui, je serai heureux là-bas avec tante Hélène et Mitcho. Et j'y ai déjà une amie.

Nathalie Faucher habitait à côté de chez Hélène. C'était elle qui s'occupait de Mitcho lorsque sa tante devait faire un de ses nombreux voyages d'affaires. Martin et Nathalie étaient plus ou moins des amis de cœur. Plus ou moins, parce qu'ils n'en avaient jamais vraiment parlé. Cela n'avait pas été nécessaire. C'était tellement clair pour eux qu'ils aimaient être ensemble. Alors, pas besoin d'en parler... Nathalie écrivait à Martin de temps en temps et elle se montrait toujours compréhensive quand il ne répondait pas tout de suite à ses lettres. Lorsqu'ils se trouvaient en présence des parents de Nathalie ou de la tante de Martin, ils évitaient de se porter trop d'attention l'un à l'autre. Car les parents de Nathalie disaient qu'elle était trop jeune encore pour avoir un petit ami. Ils la couvaient beaucoup, pensait Martin. Quant à lui, il n'aurait pas pu supporter les taquineries de sa tante Hélène si elle s'était aperçue qu'il y avait quelque chose entre eux. De toute façon, était-ce nécessaire de dire quoi que ce soit? Il était satisfait de la situation telle qu'elle était.

Martin sortit son portefeuille. Il y avait deux jours, mercredi, il avait fermé son compte de banque. Il calcula soigneusement l'argent qu'il avait gagné si durement. Après avoir acheté une valise et un billet d'autobus, il lui restait encore 578 $. Il les donnerait à tante Hélène, comme dédommagement, pour qu'elle s'occupe de lui. Il savait bien que l'argent ne durerait pas longtemps, mais il savait aussi que cela lui permettrait de trouver une autre route ou un autre genre d'emploi après l'école et les fins de semaine.

Martin passa le reste du trajet à rêver à sa nouvelle vie. Il imaginait qu'il allait à la même école que Nathalie. Il se demandait s'il y aurait une équipe de lutte olympique à sa nouvelle école et s'il serait assez bon pour en faire partie. La lutte était son sport préféré et il était considéré comme l'un des meilleurs dans l'équipe junior de son ancienne école. Il fit aussi des plans pour la disposition de sa chambre à l'étage, celle que tante Hélène lui réservait quand il venait la visiter. Il se rappela soudainement toutes les choses qu'il n'avait pas pu emporter avec lui, car il n'y avait pas eu suffisamment d'espace dans sa valise. Il n'avait pu prendre que les objets qu'il considérait comme essentiels pour les deux premières semaines et avait dû laisser derrière lui la machine à écrire que l'oncle Réjean lui avait offerte à Noël. Ses patins à roulettes aussi. Il se les ferait expédier après que tante Hélène aura expliqué la situation à son oncle et que tout sera en règle.

Martin avait été tellement absorbé par ses pensées qu'il n'avait pas remarqué que l'autobus venait d'entrer en gare et ce, bien que ses yeux aient été fixés sur la fenêtre depuis longtemps. On s'arrêta brusquement. Martin attendit que les autres passagers soient sortis, inspira profondément, puis se dirigea vers la sortie.

Une fois dehors, l'air frais le tira de sa rêverie. Le chauffeur lui rendit sa valise. Une fois à l'intérieur, l'éclairage violent du terminus le frappa brutalement aux yeux et il dut prendre quelques secondes pour s'ajuster au nouvel environnement. Il se dirigea ensuite vers les escaliers et le long tunnel qui menaient à l'entrée de la station de métro Berri-De Montigny. Il consulta la grande carte pour s'assurer qu'il se rappelait bien le parcours. Il avait souvent pris le métro, mais pas assez souvent cependant pour être tout à fait sûr de lui.

Martin versa dans la boîte les pièces de monnaie qu'il serrait dans sa main et poussa sa valise sous le tourniquet. Il sauta dans l'un des longs escaliers roulants en traînant sa valise, pressé qu'il était de ne pas manquer le train qui entrait en gare. Il atteignit l'extrémité de la plate-forme juste comme les portes du train s'ouvraient et réussit à y entrer sans ralentir son pas. Toujours en traînant sa valise, il se glissa sur un des sièges libres.

«Il n'y a pas trop de monde dans le métro à dix heures du soir», pensa-t-il.

Il se souvint des difficiles heures de pointe.

«Place des Arts... McGill... Prochain arrêt! Beaucoup de gens bizarres à la station Peel, se rappelait Martin.»

Il fut déçu. Rien que des gens très ordinaires ce soir. Lors de sa dernière visite, après avoir passé tout un samedi à explorer le métro, Nathalie et lui avaient décidé que Peel était leur station préférée.

Il consulta la carte affichée près de la porte: il descendrait au prochain arrêt. Puis il agrippa le dos de son siège pour s'y accrocher pendant qu'il se levait dans ce train ondoyant. Il rentra sa chemise, nettoya un peu ses lunettes et se pencha pour resserrer ses lacets après avoir posé un pied sur le bord du siège. Il tira sa valise jusqu'à la porte et attendit que le train s'arrête complètement, à la station Guy.

Il monta l'escalier roulant et retrouva avec plaisir l'air frais du soir. Il prit la rue Saint-Mathieu et traversa la rue Sainte-Catherine. Comme il tournait pour s'engager dans la rue Tupper, en direction de la lumière qui brillait aux fenêtres de l'appartement dans la maison en rangée rénovée qu'habitait sa tante, il sentit son cœur battre de plus en plus fort. Il déposa sa valise au pied de l'escalier et, avec les manches de sa veste, essuya les larmes qui lui montaient aux yeux. Il rejeta la tête en arrière pour regarder ce ciel d'automne tellement clair. Puis il prit trois grandes respirations pour retrouver son calme.

Dans un mouvement enchaîné, il se pencha, prit sa valise, monta les marches deux par deux et tendit sa main libre vers la sonnette.

4

Tante Hélène

— MARTIN! MON DIEU, MAIS... mais je ne m'attendais pas...

L'éclairage brillant du hall d'entrée présentait tante Hélène en silhouette et cachait les détails de son joli visage.

— Entre, voyons.

Elle passa son bras autour de lui et, doucement, le fit entrer dans le hall après avoir fermé la porte d'un léger coup de pied. Martin laissa alors tomber sa valise sur le plancher. Hélène tendit les bras pour serrer les mains du garçon dans les siennes et ils prirent tous les deux un court moment pour se regarder attentivement.

Martin vit exactement ce qu'il s'attendait à voir. Comme d'habitude, les cheveux bruns de sa tante étaient bien en place. Le rouge à lèvres rouge vif et l'ombre à paupière bleue donnaient de la vie à sa robe noire. Tante Hélène avait toujours l'air de venir tout juste de se préparer «à sortir». Il fallait qu'il en soit ainsi, avait-elle déjà expliqué à Martin. Cela allait avec son travail, un peu comme un uniforme, puisqu'elle était acheteuse pour le rayon de la mode chez Eaton.

Hélène mit un bras autour du cou de Martin et le tira vers elle. Le visage du neveu se trouva posé sur le cou de la tante. L'odeur familière des cheveux doux et du parfum favori firent tant de bien à Martin qu'il sentit un léger frisson de plaisir traverser tout son corps.

— Alors, qu'est-ce qui t'amène? Réjean ne m'a pas dit que tu allais venir.

La rapidité avec laquelle elle avait mis fin à ces embrassades prit Martin par surprise. La simplicité toute directe de sa question le figea et il la fixait droit dans les yeux, incapable de parler. Parce que sa tête était tellement vide, il n'entendit pas les bruits qui montaient de l'escalier du sous-sol et il tomba brutalement à la renverse, par-dessus sa valise, pour se retrouver étendu de tout son long sous le poids du grand chien qui, avec beaucoup d'enthousiasme, lui souhaitait la bienvenue.

— Mitcho! Mitcho!

Tante Hélène essaya en vain de calmer le chien qui courait dans l'entrée minuscule. Il sautait d'Hélène à Martin et de Martin à Hélène avec une joie tellement débridée que les deux humains en oublièrent un moment leurs préoccupations et s'abandonnèrent entièrement à l'insistance de Mitcho.

— Bon. Pourquoi ne montes-tu pas déposer ta valise dans ta chambre? Je vais préparer du chocolat chaud puis nous pourrons bavarder.

L'animation et la confusion provoquées par l'arrivée inattendue de son neveu l'avaient un peu désorientée. Il lui faudrait une bonne minute pour se ressaisir.

— Mon Dieu! Qu'est-ce qu'il y a dans cette valise? lança-t-elle à Martin qui montait derrière Mitcho en traînant son fardeau après lui.

Martin ne répondit pas. Il avait besoin, lui aussi, d'un moment pour retrouver ses esprits.

Il ferma la porte de la chambre et fit balancer sa valise jusqu'à la chaise fleurie qui se trouvait dans un coin, près de la fenêtre. Il se pencha vers le chien, l'enlaçant et le caressant avec une telle force que ce fut au tour de Mitcho d'être surpris. Puis, Martin lança sa veste sur le fauteuil, jetant en même temps un regard rapide sur la chambre. Ensuite, il longea le corridor jusqu'à la salle de bains. Il ferma la porte pour empêcher le chien d'entrer, car il avait besoin d'être vraiment seul une minute ou deux encore.

Martin aspergea d'eau froide son visage et, après s'être séché avec une serviette de bain, il mit ses mains sur le comptoir, se pencha vers le miroir et se regarda droit dans les yeux un long moment, sans bouger.

— C'est le temps de faire face à la musique, se dit-il à voix haute.

Il sortit et suivit Mitcho jusqu'à la cuisine.

Tante Hélène se tourna vers lui, une tasse fumante dans chaque main. Elle les déposa sur la table et repartit vers les armoires pour en rapporter deux soucoupes. Après avoir placé les tasses dans les soucoupes, elle en glissa une de l'autre côté de la table et la plaça juste en face de son neveu. Martin savait que l'instant fatal était maintenant arrivé.

— Dis-moi, qu'est-ce que tu peux bien être venu faire en ville, Martin?

Il prit une gorgée pour gagner du temps. Puis, il dit :

— Je voudrais venir vivre avec toi, tante Hélène.

— Ici? Mais, Martin... je ne sais pas trop quoi te dire. Tu... tu as déjà un chez-toi. Est-ce que tu n'es pas heureux là-bas?

Manifestement, Hélène était déroutée.

— Euh... oui, ça va, je suppose. Mais je veux vivre avec toi, dit-il d'un trait.

Il ne savait pas comment présenter les choses à Hélène, même s'il avait tout passé et repassé dans sa tête des milliers de fois.

— Oui, mais... mais... je veux dire, je t'aime beaucoup et tout... mais il y a tellement de problèmes. Il y a l'école... Et, et je voyage tellement pour mon travail! Je veux dire... tu as déjà un foyer, je croyais que...

Hélène s'interrompit. Elle vit que le visage de Martin devenait rouge tout à coup et elle sentit que des larmes lui montaient aux yeux. Elle fit glisser sa chaise près de celle du jeune homme et l'enlaça

— Mon petit Martin, qu'est-ce qui ne va pas?

Les larmes avaient déjà commencé à couler le long des joues de Martin, mais sa voix était calme et décidée.

— Je ne retournerai pas là-bas. Je me fiche pas mal de ce qui arrivera. Je n'y retournerai pas!

— Tu dois bien avoir des raisons. Il doit y avoir une explication.

— Je ne peux pas te le dire, tante Hélène. Ça fait trop mal.

Le nez de Martin était en train de se boucher, mais il resta calme.

— Ça fait trop mal.

— Ces choses arrivent, Martin. Je sais bien que ça n'a pas été facile depuis la mort de tes parents... Ces choses-là arrivent quand deux personnes vivent ensemble. Si tu me racontais ce qui est arrivé, peut-être que je pourrais parler à Réjean et...

— Il me bat. Il se soûle et il me bat quand il rentre à la maison.

Martin pleurait maintenant.

— Deux, peut-être trois fois par mois. Il me bat pour rien. Ça fait tellement mal. Il se soûle et il me bat... C'est tout ce que je sais. Il se soûle et il me bat... répéta Martin entre deux sanglots. Je n'en peux plus! Je n'y retournerai pas! Je n'en peux plus!

— Martin... tu ne sais pas ce que tu dis! Oncle Réjean ne ferait jamais une chose pareille. Il t'aime. Je sais bien qu'il boit un verre de trop à l'occasion, mais il ne ferait pas ça. Te rends-tu compte de ce que tu dis?

— Il me bat, sanglota Martin.

— Martin, Réjean m'a dit que toi tu t'étais battu à plusieurs reprises dernièrement. Est-ce que cela a quelque chose à voir avec... Est-ce que quelque chose ne va pas à l'école? Peut-être que si tu me disais la vérité... Tu peux te confier à moi, quel que soit ton problème. Mais tu ne peux pas raconter ces mensonges. Je peux t'aider. Je ferai tout pour t'aider. Mais tu dois d'abord me dire la vérité...

Martin n'arrivait plus à contrôler ses sanglots. Il ouvrit la bouche pour parler, mais rien n'en sortit. Il ne pouvait regarder Hélène avec ce visage défait ni espérer qu'elle comprenne son angoisse

— Bien... bien... on en reparlera demain matin. Les choses ont toujours l'air moins graves le matin, après une bonne nuit de sommeil. Allons, au lit, tu veux? Les choses vont toujours mieux le matin, je t'assure.

Hélène entoura les épaules de Martin et l'entraîna à travers le corridor jusqu'en haut de l'escalier, puis jusqu'à son lit. Martin enfouit immédiatement son visage dans l'oreiller. Il sentit tante Hélène déposer un baiser sur sa nuque et lui caresser doucement les cheveux après avoir tiré la couverture sur lui.

— Je t'aime, tu sais, Martin. Tu verras, les choses iront beaucoup mieux demain matin. Je t'en fais la promesse.

Sur ce, Hélène ferma doucement la porte sur le garçon et son chien.

Mitcho sauta sur le lit et Martin se tourna vers lui. Le chien se mit à lécher les larmes qui couvraient maintenant le visage de Martin et ne s'arrêta que lorsque le jeune homme exténué se fut endormi.

5

Une lueur

— ALORS, COMMENT VAS-TU CE matin? Beaucoup mieux, je parie.

Tante Hélène disait vrai. Martin se sentait beaucoup mieux. Le sommeil avait emporté cette émotivité incontrôlable qui l'avait assailli la veille. Le sommeil, cependant, n'avait pas effacé son dilemme. Étendu dans son lit, ce matin-là, Martin dut refaire un peu ses plans, car la réaction de sa tante avait tout remis en question. Ses pensées ressemblaient à un casse-tête dont les pièces, projetées aux quatre vents, ne pourraient jamais plus être rassemblées. Si seulement elle pouvait arriver à croire ce qu'il lui avait confié... C'était pourtant la vérité... ce n'était pas le fruit de son imagination et, surtout, ce n'était pas quelque excuse qu'il avait fabriquée exprès, pour masquer la vérité. Pourquoi ne pouvait-elle pas s'en rendre compte?

Était-ce parce qu'elle aimait Réjean, son frère, plus que lui, son neveu? Réjean son frère, qui, chaque automne posait pour elle les fenêtres doubles, qui charmait ses amis et la faisait rire, qui charmait Martin et le faisait rire aussi. Ou bien était-ce simplement parce qu'elle ne connaissait pas ce frère aimé aussi bien que Martin, lui, le connaissait? Elle n'avait jamais vu, elle, l'autre Réjean, celui que Martin avait vu si souvent en pleine nuit, soûl et enragé, frapper de ses poings un garçon qui le haïssait maintenant autant qu'il l'aimait.

Il avait beau essayer encore et encore, il n'arrivait pas à en vouloir à sa tante. Elle avait le tort de ne pas le croire, mais elle n'en était même pas consciente. Oui, bien sûr, elle l'aimait. Mais, il en était sûr maintenant, l'amour n'allait pas résoudre ses problèmes.

Quand Martin descendit enfin à la cuisine, il était encore troublé et préoccupé. Pas tellement par ce qu'il ressentait — il n'avait pas le temps de s'y attarder pour le moment — mais par ce qu'il allait devoir faire et par ce qu'il allait devoir décider.

— J'ai préparé ton petit déjeuner préféré: des crêpes aux bleuets...

Pendant le déjeuner, Martin et sa tante parlèrent de la pluie et du beau temps, mais le cœur du jeune garçon n'y était pas. Il avait en tête des choses beaucoup plus importantes. Il savait bien qu'Hélène ne faisait que lui renvoyer la balle, qu'elle pensait à autre chose elle aussi.

— Café?

Tante Hélène n'attendit pas la réponse. Elle versa du lait chaud dans une grande tasse et y ajouta un peu de café. Elle disait que trop de café n'était pas bon pour un garçon de son âge.

— Martin, j'ai téléphoné à ton oncle Réjean ce matin. Il a travaillé tard hier soir et pensait que tu étais déjà au lit quand il est rentré. Il ne savait même pas que tu étais parti. Je lui ai dit... nous avons discuté de ce petit problème qui te tracasse. Il n'est pas fâché contre toi. Il est même d'accord pour que tu restes avec moi jusqu'à dimanche soir.

Martin garda le silence pendant qu'il faisait fondre un peu de sucre dans son café pâle.

— Martin, tu ne peux pas ignorer tes problèmes. Il faut que tu en parles à quelqu'un. Tu comprends ce que je veux dire?

— Oui, je comprends.

Martin avala une gorgée de café.

— Penses-tu, Martin, que tu pourrais me dire franchement ce qui ne va pas? Tôt ou tard, il faudra bien que ça sorte...

— Alors, tu ne me crois vraiment pas? Ce que je t'ai raconté hier soir...

— Ce n'est pas que je ne te croie pas, Martin. Je pense qu'il s'est vraiment passé quelque chose de très grave et que ça te déchire en dedans. Parfois la vérité fait tellement mal que, comment dire, il est plus facile de la maquiller, de fabriquer une histoire et... C'est normal, je l'ai déjà fait moi-même. Mais il faut que tu aies confiance en moi, Martin. Il faut que tu me dises la vérité. Je ne me moquerai pas de toi et je ne me fâcherai pas... Martin?

Martin regardait ses mains. On aurait dit qu'elles n'étaient pas les siennes, qu'il était en train de rêver et qu'il observait la scène d'un recoin de la pièce, invisible.

— Je ne sais pas quoi te dire, tante Hélène. Je suis tellement troublé.

— Bon! nous pourrons en reparler quand tu seras prêt, dit-elle en souriant. Prends tout le temps qu'il faudra. Si tu ne penses pas pouvoir m'en parler à moi, alors tu dois en parler à Réjean. Il t'aidera...

— Euh... bien... je vais essayer. Mais pour l'instant, je ne peux pas.

Martin avait besoin de temps. Pour réfléchir. Seul.

— Je vais essayer de parler à oncle Réjean quand je rentrerai à Trois-Rivières, ajouta-t-il.

Cela fit plaisir à sa tante. Elle vint le retrouver et mit son visage dans ses cheveux en l'enlaçant. Elle lui murmura à l'oreille:

— Je t'aime, Martin.

Martin ne répondit rien, mais il ne repoussa pas les caresses d'Hélène. Il savait bien qu'il ne pouvait pas y retourner à Trois-Rivières, à son cauchemar. Il ne savait pas, cependant, ce qu'il allait faire, où il allait se réfugier. Pour l'instant, ce qu'il désirait le plus, c'était être seul, tout seul.

Hélène relâcha son étreinte.

— Bon! alors... qu'est-ce que tu vas faire aujourd'hui? Moi, il faut que j'aille au magasin. Il y a des jours où je voudrais être ménagère... Pourquoi n'appelles-tu pas Nathalie pour savoir ce qu'elle fait? Je suis sûre qu'elle serait très heureuse de te voir.

Martin ne répondit pas. Il avait déjà un autre projet en tête.

Il fut content de sortir de la maison. Dehors, seul dans l'air frais, il pouvait réfléchir. Seul, il ne l'était pas tout à fait. Mitcho était avec lui. Mais cela ne comptait pas vraiment.

Martin se dirigea vers l'Université McGill. Il traversa le campus presque désert et parcourut les rues bordées de maisons de chambres où habitaient les étudiants. Il imagina un instant qu'il pourrait se trouver un emploi, louer une chambre et y vivre.

— Ça ne marchera jamais. Je suis bien trop jeune. Personne ne voudra me louer une chambre.

Et il chassa cette idée.

Il traversa un grand champ et prit ensuite la direction des arbres qui recouvraient la montagne. Mitcho courut devant, revint vers Martin comme pour l'encourager à le suivre, puis repartit. Ensemble, ils escaladèrent la montagne (une grosse colline plutôt, pensait Martin) jusqu'à ce qu'ils soient arrivés à un espace ouvert, tout en haut. Là, Martin s'assit, Mitcho à ses côtés. Il contempla la ville, étendue à ses pieds, et le Saint-Laurent gris-bleu qui coulait plus bas.

— Qu'est-ce que je vais faire?

Martin lança dans les buissons un bâton qu'il avait traîné avec lui. Mitcho s'empressa aussitôt de le lui rapporter.

Lentement, les deux compagnons redescendirent vers la ville. C'était la fin de l'après-midi et la lumière s'éteignait tôt en cette journée nuageuse.

— J'ai faim, pensa Martin.

Ils traversèrent le passage réservé aux piétons et continuèrent, passé l'Hôtel-Dieu, sur l'avenue des Pins en direction du boulevard Saint-Laurent. Martin acheta deux sandwiches à la viande fumée et, après avoir retrouvé Mitcho, s'assit sur l'un des bancs que la ville avait installés là récemment. Ensemble, ils mangèrent leurs sandwiches avant de remonter la rue Saint-Laurent.

Martin se sentait comme un étranger ici. Les gens étaient très différents de ceux qu'il avait côtoyés à Trois-Rivières. Et puis, il y avait toutes sortes de boutiques remplies d'aliments étranges. Et l'odeur, piquante, de mille épices exotiques flottant dans l'air. Les gens riaient et parlaient dans des langues qu'il ne comprenait pas. En grec, en italien, en vietnamien ou en chinois. Peut-être même en russe!

Il sortit son portefeuille de la poche arrière de son jean et le glissa dans la poche de devant. Il ne pouvait absolument pas prendre le risque de le perdre. Il se souvenait avec quels yeux fouineurs le vendeur de viande fumée avait regardé son argent lorsqu'il l'avait ouvert pour payer l'addition.

— Il commence à faire pas mal noir. Viens, Mitcho, allons-nous-en!

Le chien et son compagnon refirent leur chemin à l'envers, mais plus vite cette fois. Ils traversèrent la rue pour voir les boutiques qui se trouvaient de l'autre côté. Déjà, les marchands avaient commencé à rentrer leur marchandise.

À l'angle de la rue Jeanne-Mance et de l'avenue des Pins, Mitcho s'arrêta, tendit l'oreille et se tint tout à fait immobile pendant une couple de secondes. Puis, il partit en flèche à travers le terrain vague et disparut dans un espace étroit, entre deux édifices abandonnés. Martin courut après lui, en l'appelant. Il ne voulait pas le perdre de vue. À bout de souffle, Martin tituba dans un passage sombre, étroit et long.

— Mitcho! Reviens!

En descendant quelques marches que ses pieds avaient trouvées en tâtonnant dans cette noirceur presque totale, Martin s'accrocha. Il perdit pied et tomba sur le côté, contre une porte. Avant qu'il ne comprenne ce qui lui arrivait il se retrouva sur le derrière, à l'intérieur d'un des édifices, Mitcho se tenant au-dessus de lui. Il regarda tout autour.

Quelqu'un avait omis de fermer cette porte.

Martin réfléchit tout haut et en déduisit, au son de sa voix, qu'il se trouvait dans une pièce plutôt grande.

Il se leva, remit ses vêtements en ordre et resta immobile quelques instants pendant que ses yeux s'habituaient à la demi-obscurité. Il entendit Mitcho, à l'autre bout de la pièce, et décida d'en faire lui-même l'inspection. La faiblesse de l'éclairage lui rendait cependant la tâche difficile. Il s'empêtra et faillit tomber sur un amas de vieilles bourrures de football. En regardant bien, il pouvait distinguer des lignes rouges et blanches sur le plancher de bois dur. L'air avait une odeur de vieux et de moisi.

— Une école abandonnée! Ici, ça devait être le gymnase. Wow! Qu'est-ce que vous dites de ça?

Martin s'arrêta et promena son regard autour du vaste espace sombre pendant que ses méninges s'agitaient et essayaient de saisir toute la portée de cette découverte.

— Mitcho! Sortons d'ici. Allons, viens!

Il tira la porte derrière lui sans la refermer tout à fait.

Le jeune garçon commença à ébaucher un plan dans sa tête — un plan pas très précis encore — mais un plan tout de même, pendant que les deux compères revenaient au pas de demi-course chez tante Hélène qui les attendait.

6

La fuite

LE LENDEMAIN, DIMANCHE, NE débuta pas vraiment avant onze heures. Martin et sa tante étaient restés debout très tard la veille pour regarder la télé. Ciné-nuit présentait une comédie musicale et ils étaient restés étendus sur le sofa, confortablement installés devant le téléviseur. Pendant les pauses publicitaires, Hélène se précipitait à la cuisine et en rapportait toutes sortes de gâteries. Des boissons gazeuses. Des croustilles. Des tablettes de chocolat. Martin n'en revenait pas. Depuis toujours, sa tante lui avait offert des choses comme des carottes crues, du céleri ou des fruits frais quand il voulait faire une collation.

Ce dimanche matin, ils firent durer longtemps le petit déjeuner. Ils ne se parlèrent pas beaucoup, chacun étant absorbé par le journal. Pendant que sa tante préparait à manger, Martin était allé chez Multi-Mags acheter l'édition du dimanche du *New York Times*. Il s'attarda à regarder la publicité et les photos dans la section en couleurs, vu qu'il ne connaissait que très peu l'anglais. Sa tante, par contre, le parlait très bien, mais elle était surtout intéressée par les pages consacrées à la mode. Pour son travail, disait-elle.

Ils bavardèrent un peu en lavant la vaisselle. Tante Hélène avait un lave-vaisselle, mais elle aimait bien la laver à la main de temps à autre.

— J'ai toujours aimé laver la vaisselle, dit-elle. Ta mère, elle, détestait ça, mais pas moi. J'en profitais pour rêvasser.

Quand ils eurent fini de tout ranger, tante Hélène suggéra qu'il demande à Nathalie si elle aimerait aller faire un tour au Jardin botanique. Cette idée plut beaucoup à Martin. Il n'avait pas eu envie de voir Nathalie hier, car il avait été trop préoccupé. Il y avait eu trop de choses à mettre en ordre. Mais aujourd'hui, il avait décidé de reporter ses préoccupations à plus tard.

Ils prirent place tous les trois, tante Hélène, Nathalie et lui, dans la petite auto et ils filèrent vers l'est sur la rue Sherbrooke à une vitesse folle. Tante Hélène conduisait toujours vite.

Martin fut très impressionné par les dimensions de la grande serre (la plus grande qu'il ait jamais vue avant était tout près de Trois-Rivières. C'était celle de M. Van Gelden qui y faisait pousser ses plants de tomates au tout début du printemps). À l'intérieur, l'air chaud et humide avait une odeur bien particulière que Martin ne reconnaissait pas tout à fait. Ils s'amusèrent beaucoup en essayant de prononcer les noms latins inscrits sur des cartes piquées à côté de chacune des plantes. Tante Hélène s'était engagée dans une discussion à propos de ses azalées avec un beau jeune homme qui arrosait les plantes fleuries. Martin en profita pour faire signe à Nathalie de le suivre. Il voulait lui parler.

— Nathalie... je... je suis venu vivre à Montréal.

— Quoi? avec ta tante?

— Non. Non. Ailleurs. Je ne peux pas t'en dire plus long pour l'instant. Tante Hélène n'en sait rien encore. Et tu ne dois pas le lui dire.

Nathalie était déroutée.

— Est-ce que tu t'enfuis, ou quoi?

— Ouais. C'est un peu ça.

Martin pouvait voir, à la façon dont sa tante s'éloignait maintenant du jeune homme, en hochant la tête, qu'elle avait terminé sa conversation et qu'elle s'apprêtait à les rejoindre.

— Écoute, Nathalie, je te raconterai tout la prochaine fois qu'on se verra. Fais-moi confiance, tu veux?

Nathalie acquiesça.

— Viens me rejoindre à la station de métro Peel à quatre heures, jeudi. Après l'école, ça te va? Près du kiosque à journaux.

— Ça va.

— Je te fais confiance, Nathalie. Je compte sur toi. Tu ne peux en parler à personne. À personne. Quoi qu'il arrive. Entendu?

— Je te le promets.

— Qu'est-ce qui se passe? On a des secrets?

Tante Hélène était revenue.

— Ce n'est pas bien d'avoir des secrets...

Au retour, ils prirent un souper rapide. Ils s'étaient arrêtés en chemin pour acheter une appétissante pizza.

— Mon Dieu! Déjà six heures et demie. Il faut nous dépêcher sinon tu vas manquer ton autobus.

Tante Hélène remonta sa montre, nerveusement. Martin courut chercher sa valise. Une fois dans sa chambre, il ferma la porte et s'agenouilla à côté du chien qui le suivait partout.

— Mitcho!

Martin serra le chien bien fort et l'embrassa sur le museau.

— Je ne sais pas quand on pourra se revoir mais je reviendrai un de ces jours. Je te le jure.

Il serra le chien encore une fois, attrapa sa valise et descendit.

Comme d'habitude, Tante Hélène démarra rapidement.

— Parfait. Tu as encore dix minutes, dit-elle en consultant sa montre, alors qu'elle stationnait en double à côté d'une file de taxis. Tu as toutes tes affaires? Tu n'as besoin de rien?

— Merci, tante Hélène. Merci pour tout. Non, je n'ai besoin de rien.

— Martin...

Tante Hélène le regarda droit dans les yeux et lui dit, avec sérieux:

— Tu verras, tout ira bien. Le temps arrange bien les choses. Je sais ce que je dis, j'ai déjà eu ton âge. Ce n'est pas toujours facile de vieillir...

Elle lui sourit. Il hocha la tête en baissant les yeux.

— Si tu as besoin de me parler... si je peux faire quoi que ce soit... téléphone-moi. Entendu? Nous aurons un bien beau Noël. Tu viendras, n'est-ce pas? Tu ne me laisseras pas toute seule?

Martin sortit de l'auto, se retourna et regarda tante Hélène dans les yeux.

— Je t'aime beaucoup, Martin, dit-elle.

— Je t'aime aussi, tante Hélène.

Martin fixait les feux arrière pendant que l'auto s'éloignait. Il agita discrètement la main.

Quand l'auto eut disparu complètement, Martin prit une bonne respiration, empoigna sa valise et monta la côte en direction de l'école abandonnée.

7

Un chez-soi

MARTIN S'ASSIT BRUSQUEMENT, le dos tout à fait droit, les yeux grands ouverts. Même si le bruit venait tout juste de le réveiller, il était aux aguets, comme un chien qui entend quelque chose dans les buissons.

Des bruits de pas.

Quelqu'un d'autre se trouvait là. Martin regarda rapidement autour de lui. Il ne reconnaissait rien, car il n'avait jamais vu le gymnase en plein jour. Sa tête était vide. Il n'arrivait pas à se concentrer. Son corps réagissait tout seul, d'instinct.

Vivement et en silence, il se mit debout et agrippa sa valise comme s'il se fût agi d'une boîte de carton. Il courut de l'autre côté de la salle jusqu'au coin le plus rapproché et déposa son sac sur le plancher, dans un espace étroit derrière les vieux casiers malmenés qui avaient été laissés là. Il se tint immobile, attentif au moindre son, au moindre indice qui pourrait l'avertir que quelqu'un arrivait.

Une voix qui siffle. Le bruit des pas descendant un escalier s'amplifia. Le siffleur entra dans le gymnase et arpenta lentement le plancher. Puis, le sifflement s'arrêta aussi soudainement qu'il avait commencé.

Martin ne put contenir sa curiosité et se surprit à risquer un œil au-delà des casiers pour tenter de donner un visage au siffleur. Ses yeux se fixèrent sur un homme en vêtements de travail vert foncé, semblables à ceux que portait son père quand il travaillait au moulin à papier. Sur la tête, l'homme portait une vieille casquette de base-ball des Expos. Il tournait le dos à Martin, mais ce dernier devinait, à cause du dos courbé et à cause de la façon de tenir la pipe, qu'il s'agissait d'un homme âgé. Le concierge, conclut Martin.

Le vieil homme haussa les épaules puis, d'un coup de pied, envoya une bourrure de football rejoindre les autres dans la pile. Ces bourrures, Martin s'en était servi comme oreiller lorsqu'il avait dû dormir sur le plancher la nuit précédente. Le concierge finit de traverser le gymnase d'un pas traînant. Martin savait, d'après le bruit des pas, qu'il s'engageait maintenant dans l'escalier situé à l'autre bout de l'école.

«Dans toutes les écoles, il y a un escalier à chacun des bouts, se dit Martin, soulagé de ne pas avoir été découvert. Pour les exercices de prévention des incendies.»

Le jeune garçon ne put retenir le sourire qui se dessinait sur sa bouche. Il était très fier de sa conduite dans les circonstances. Il avait été brave, alerte et vif, exactement comme il avait imaginé qu'il le serait si un jour il se trouvait dans une situation dangereuse. Maintenant que le premier test était derrière lui, il se sentit beaucoup plus audacieux.

Il se pencha pour délacer ses bottes de construction, car il avait décidé de suivre le concierge pour voir ce qu'il ferait. Martin traversa donc rapidement le gymnase, ses bas de laine rendant son pas léger et silencieux. Il agrippa le garde-fou et grimpa au rez-de-chaussée, faisant une pause et se tenant parfaitement immobile, jusqu'à ce qu'il puisse deviner où se trouvait le concierge d'après le bruit qu'il faisait en traînant les pieds.

Martin tourna le coin et jeta un coup d'œil à travers les grandes portes vitrées. Elles s'ouvraient sur un long corridor bordé de portes à intervalles réguliers. Il était sur le point de faire un dernier pas vers le seuil lorsqu'il aperçut le vieil homme qui sortait d'une des portes. Martin fit aussitôt un saut en arrière et se cacha.

— Ouf! J'ai été chanceux, se dit-il à voix basse. J'ai bien failli me faire attraper.

Martin inscrivit soigneusement l'incident dans sa mémoire et prit la résolution d'être plus prudent à l'avenir. Avant d'aller plus loin, il attendit que le concierge ait disparu dans l'escalier à l'autre bout du corridor. Il suivit comme ça le vieil homme d'un corridor à l'autre, d'un étage à l'autre. De temps en temps, le concierge s'arrêtait. Tantôt pour regarder à travers une porte, tantôt pour entrer dans une des classes. Lorsque le concierge eut parcouru la moitié du corridor du troisième, l'écho de ses pas se tut soudain. Après une courte pause, Martin entendit le son, reconnaissable entre tous, d'un gros et grand pet, suivi d'un grognement de satisfaction. Puis, le bruit des pas reprit. Tapi dans sa cachette, Martin se mit à rougir. Il était extrêmement gêné, car il avait le sentiment d'avoir violé en quelque sorte la vie privée de cet homme. Mais en même temps, il ne pouvait pas s'empêcher d'esquisser un sourire. Quand il eut parcouru tous les étages et fut revenu à son point de départ, Martin entendit enfin le concierge fermer la porte principale et tourner la clé dans la serrure.

Martin découvrit une horloge enregistreuse près de la porte d'entrée principale. Juste au-dessus, sur une tablette, il trouva une carte intitulée «concierge» sur laquelle se trouvaient deux colonnes: «entrée» et «sortie». D'après les heures imprimées sur la carte, Martin sut qu'il allait avoir régulièrement de la visite. Le vieil homme arrivait à l'école à neuf heures tous les matins, à cinq minutes près, et repartait tout aussi fidèlement quinze minutes plus tard.

À mesure que les jours passaient, Martin se mit à désirer ces visites, car elles brisaient la monotonie. Elles allaient devenir «l'événement» de sa journée. Grand nez, moustaches aussi larges que le nez était gros, ventre bien en avant, démarche lente et maladroite, le concierge faisait penser à un morse hors de l'eau. Son parcours variait très peu d'une journée à l'autre. Parfois, le concierge se dirigeait vers l'escalier mal éclairé qui menait à la chambre des fournaises à l'une des extrémités du gymnase, parfois il allait faire un tour dans le bureau du directeur, ou encore dans les toilettes des filles. Mais la plupart du temps, l'itinéraire était parfaitement prévisible. Maintes et maintes fois, le locataire solitaire de la vieille et triste école suivra à la trace son ami le morse, qui ne se doutera de rien, comme il l'avait fait aujourd'hui, première journée qu'il passait dans sa nouvelle demeure.

Martin employa les deux jours suivants à explorer son nouveau foyer. Il y avait 27 salles de cours dans l'école. La plupart étaient vides, à l'exception de quelques vieux pupitres recouverts de messages plus ou moins secrets gravés par leurs anciens usagers. Dans les bureaux, près de l'entrée, Martin trouva une machine à polycopier, des piles de formulaires, des bulletins et autres choses du genre. Les chasses d'eau des toilettes fonctionnaient bien. Le chauffage aussi, mais il était réglé très bas. Mais la plupart des néons étaient brûlés, ou manquants, ou encore flageolants, faisant un vain effort pour s'allumer tout de bon, comme par le passé, lorsque l'école était remplie d'enfants turbulents et de professeurs sérieux. Une couche de poussière recouvrait tout, laissant une trace de poudre grise sur les doigts inquisiteurs du jeune homme.

Dans une des salles, il trouva quelques boîtes de carton pleines de livres aux pages jaunies et aux coins frisés par le temps. Pendant les heures qu'il aurait à passer dans l'école, Martin allait les lire tous, même s'ils avaient été écrits pour des élèves deux fois moins âgés que lui.

Dans un coin du gymnase, Martin découvrit une porte de métal tout amochée. Elle s'ouvrait sur une salle à l'odeur de renfermé, éclairée par deux ampoules électriques. Il s'y trouvait des casiers vides et défraîchis, de l'équipement de sport abîmé et rendu inutile par l'usure, et une énorme pile d'uniformes pour les cours d'éducation physique, portant tous le nom de Strathearn en lettres dorées et un peu usées. Cette petite pièce allait devenir la chambre de Martin, son appartement privé dans le château désaffecté dont il était maintenant le seul et unique monarque. Les vieux casiers lui serviraient de garde-robe, d'armoires, de pharmacie et de bibliothèque. Un pupitre qu'il avait descendu de peine et de misère de la salle 106 lui tiendrait lieu de table, de bureau, de coffret de sûreté. D'un tas d'uniformes bien tassés et recouverts d'un tapis de gymnastique il se ferait un lit/sofa/fauteuil. Cette chambre serait à la fois sa prison et son refuge durant les longues semaines qu'il allait passer à Strathearn.

8

Nathalie

MARTIN SAUTA DANS L'ESCALIER roulant et grimpa les marches deux par deux.

Il était exalté. Il n'avait parlé à personne ces derniers jours, sauf au préposé à la caisse chez Burger King où il prenait tous ses repas du soir. Il avait eu beaucoup de temps pour réfléchir et Nathalie avait occupé une grande place dans ses pensées. Rendu en haut de l'escalier, il s'arrêta pour rentrer sa chemise et resserrer ses lacets.

Il aperçut Nathalie comme il s'approchait des tourniquets. Nerveuse, elle feuilletait une revue au kiosque à journaux. Elle s'était préparée avec soin pour cette rencontre. Martin ne l'avait jamais vue maquillée auparavant. Elle avait tressé ses cheveux châtains et en avait fait une couronne sur l'arrière de sa tête, comme le

61

font souvent les ballerines. La jeune fille que Martin pensait connaître s'était transformée en magnifique jeune femme. Il la voyait aujourd'hui comme il ne l'avait jamais vue. Comme elle était belle!

— Martin!

— Comme tu es belle, Nathalie! dit Martin en posant un baiser sur sa joue.

C'était la première fois qu'il embrassait Nathalie, la première fois qu'il embrassait une fille en fait, et il en devint tout rouge. Pourtant, il ne se sentait pas gêné, même s'il était un peu surpris de ce geste spontané.

— Tiens. J'ai gardé ça pour toi.

Elle lui remit un sac de papier. Sa voix tremblait, mais ses mains étaient calmes.

— C'est mon dîner. Je n'avais pas tellement faim aujourd'hui... Est-ce que ça va, toi? J'étais tellement inquiète. Les policiers sont venus me poser des tas de questions, tu sais...

— Allons prendre un café quelque part.

Martin passa un bras autour de la fine taille de Nathalie et ils sortirent du métro pour entrer chez Ben. Martin avait tellement de choses à lui dire qu'il ne savait pas où commencer. Alors, il ne disait rien et Nathalie, comme si elle avait compris pourquoi, ne lui posait pas de questions.

— Qu'est-ce qu'on vous sert?

— Pour moi, un café. Et toi, Nathalie?

— Avez-vous du thé glacé?

— Un café, un thé glacé.

Le serveur se dirigea vers le comptoir et Nathalie profita de son départ pour prendre soudainement la parole. Elle parlait vite et un mélange de douceur et d'agitation se lisait dans ses yeux.

— Martin, ta tante se fait du souci pour toi. Elle a appelé la police. Ton oncle Réjean est venu mardi, mais il est reparti. Pourquoi as-tu fait ça? Je ne te comprends pas.

— C'est pour qui le café?

Martin leva la main et, d'un geste brusque, le serveur déposa le café devant lui en en renversant un peu dans la soucoupe.

— Il fallait que je le fasse.

Martin but un peu de café. Puis il ajouta:

— Je n'avais pas le choix.

Martin raconta tout à Nathalie, aussi simplement qu'il put. Sa voix était dépourvue de toute émotion. Cela lui faisait tout drôle de raconter cette histoire. C'était presque comme s'il ne s'était pas vraiment agi de lui. Tout cela lui semblait bien loin maintenant.

— Ça ne marchera pas. Il faut que tu reviennes. J'ai peur, Martin. Pour toi et pour moi. Je suis impliquée maintenant, tu sais. Ils pensent publier une photo de toi dans les journaux, avec une description et tout... Ils ont peur que tu aies été enlevé ou même assassiné. Ta tante ne peut plus s'arrêter de pleurer. Elle n'est pas allée travailler une seule journée cette semaine. Où est-ce que tu habites? As-tu loué une chambre?

— Tu veux voir? Je vais te montrer.

— Je ne peux pas. Il faut que je rentre. Ma mère va se douter de quelque chose si je suis trop en retard.

— La semaine prochaine alors? Jeudi. Même heure, même endroit.

— Je ne sais pas... J'ai peur.

Elle supprima un reniflement.

— Je n'ai que toi, Nathalie. Tu es la seule qui me comprenne...

— Bien! Je vais venir... si je peux.

Martin régla l'addition et ils se retrouvèrent à nouveau dans la rue.

— Prends bien soin de toi, promis?

Nathalie s'avança et posa un baiser sur les lèvres de Martin avant d'aller s'engouffrer dans le métro. Il sentit alors tout son sang lui monter au visage.

Martin décida de rentrer à pied. Il avait des choses à faire. Il s'arrêta dans quelques boutiques pour faire des achats. Il faisait déjà très noir lorsqu'une silhouette solitaire chargée de paquets se glissa entre les édifices abandonnés.

— Pas mal, murmura-t-il en contemplant l'étranger dans le miroir sale. Pas mal du tout.

Il se rappela ce politicien qu'on avait vu tellement souvent à la télévision l'automne dernier. Martin avait toujours pensé que cet homme-là se teignait les cheveux. Ils étaient tellement foncés qu'ils avaient l'air un peu faux.

— Il faudra que je m'habitue, pensa-t-il. Mais ce n'est pas mal. Je vais peut-être savoir enfin si ce sont les blonds ou les bruns qui s'amusent le plus!

Il rit bien fort de cette blague un peu idiote et ramassa la boîte de Clairol vide et les emballages des autres produits dont il s'était servi pour teindre ses cheveux.

De retour dans sa chambre, Martin s'assit à son bureau et griffonna un message sur le papier «avion» qu'il avait acheté cet après-midi-là.

«Tante Hélène,

Ne t'inquiète pas pour moi. Je suis bien. Tout va comme il faut. Je vais venir te voir lorsque les choses se seront calmées.

Je t'aime.

Ton neveu,

Martin»

Puis, de retour dans la salle de bains, Martin s'examina encore une fois dans le miroir. Il portait les nouveaux vêtements qu'il venait tout juste d'acheter.

— Personne ne me reconnaîtra, se dit-il. J'ai l'air beaucoup plus vieux.

Il était 23 h 30 quand il arriva chez sa tante. Les lumières du premier étaient toutes éteintes. Il pouvait cependant apercevoir une faible lueur dans la chambre d'Hélène.

«Elle est en train de lire», conclut-il.

Il gravit les marches de l'entrée puis, aussi silencieusement que possible, glissa l'enveloppe «avion» dans l'ouverture réservée au courrier.

Se laissant aller à une impulsion soudaine, il se dirigea vers la ruelle, derrière les maisons en rangée de la rue Tupper, et marcha jusqu'à la cour, en arrière de chez sa tante. Il ouvrit la clôture et alla droit vers la porte du sous-sol.

— Mitcho... Mitcho... murmura-t-il.

Il jeta un regard vers les fenêtres du deuxième pour s'assurer que personne ne l'avait entendu. À peine quelques secondes plus tard, la porte à rabat s'ouvrit et Mitcho s'en extirpa. Cette porte était presque trop petite pour lui maintenant qu'il avait atteint sa taille d'adulte.

Dans la ruelle, Martin s'agenouilla et se frotta le visage dans la fourrure de Mitcho.

— Allô, mon vieux. Oui, tu es un bon chien.

Mitcho se balançait d'avant en arrière et d'arrière en avant, la queue entre les jambes, les oreilles relevées.

— Tu veux venir avec moi? Tu veux venir vivre avec moi?

Sans attendre la réponse de son compagnon, Martin se leva et sortit de la ruelle. Mitcho le suivit jusqu'à l'école.

9

L'épicerie Carrera Ltée

— DÉPÊCHE-TOI, TU ES DANS MON chemin!

La petite femme grasse, qui parlait avec un accent italien et que Martin supposait être Mme Carrera, faisait de grands gestes avec les mains. Si elle ne s'était pas trouvée dans cette épicerie, Martin aurait pu croire qu'elle était en train de chasser des poules hors de son jardin. M. Carrera tourna la tête en direction de Martin, lui fit un clin d'œil en haussant les épaules, puis continua de ranger les paquets de cigarettes sur les rayons.

— *Si?* Oui? Qu'est-ce que je peux faire pour toi?

69

Elle s'approcha de Martin. Son visage était tellement près du sien qu'il se sentit mal à l'aise et recula un peu.

— Pas de cigarettes! s'exclama M. Carrera en continuant son travail. Je ne vends pas de cigarettes aux enfants. Pas bon pour la santé.

M. Carrera se retourna et posa la cartouche de Du Maurier à moitié vide sur le comptoir encombré et ajouta:

— Ça laisse un goût de fond de cage d'oiseau dans la bouche. Les filles n'aiment pas ça.

Autre clin d'œil entendu en direction de Martin. M. Carrera avait l'air beaucoup plus âgé que sa femme. Le sourire coquet et les gestes animés de l'Italienne faisaient oublier les larges raies de gris qui ornaient ses cheveux. Ils avaient dû être, autrefois, du plus beau noir.

— Angelo! Occupe-toi de tes affaires. Tu mets toujours ton nez où tu ne devrais pas. De toute façon, ce n'est pas un enfant. C'est un jeune homme.

D'un geste rapide de la main, elle invita M. Carrera à regarder l'adolescent qui, comme cela lui arrivait souvent, rougissait.

— Alors? Qu'est-ce que tu veux? Des cigarettes?... demanda-t-elle.

— Tu as une petite amie?

— Angelo, ça ne te regarde pas. Bien sûr qu'il a une petite amie. Un beau jeune homme comme lui. Pas vrai?

D'un geste rempli de grâce, elle donna un petit coup de ses larges hanches à M. Carrera, croisa les mains sur sa poitrine généreuse et roula des yeux en direction du plafond.

— Comment elle s'appelle? Rosita? Marguerita? Angelina, comme ma femme?

— Nathalie, lâcha Martin, ne sachant pas trop quoi dire.

Il était gêné et tout rouge. Mais la chaleur et le charme simple d'Angelo et Angelina, roi et reine de l'épicerie Carrera Ltée, parvinrent à lui arracher un sourire.

— Nathalie... Nathalie... Comment est-ce que ça se dit en italien? C'est un joli nom!

Puis, sur un ton sérieux et quelque peu dramatique, elle demanda à Martin:

— Quel âge as-tu?

— Quinze ans, mentit Martin.

— Quinze ans! Aïe, aïe, aïe! Quand j'avais ton âge, j'avais beaucoup de petites amies. Il ne me restait plus de temps pour l'école. Alors, j'ai dû abandonner.

Angelo fit semblant de se trancher la gorge pour donner plus d'effet à ses paroles, puis il continua:

— Il a fallu que je trouve du travail. Maman était dans une telle colère! Elle qui voulait que je devienne prêtre... Mais pas moi. Moi, je voulais aller en Amérique là où l'or pavait les rues. Ah! le seul or que j'ai trouvé, c'est mon Angelina...

Il lui pinça le derrière tellement fort qu'elle lâcha un petit cri et le frappa à la poitrine. Angelo porta alors une main sur la bouche pour étouffer un rire et il lui fit des yeux de chien blessé.

— *Prego*, Angelina. Je te demande pardon.

Puis un clin d'œil à Martin.

C'était au tour d'Angelina de rougir. Elle retoucha un peu le gros chignon derrière sa tête et passa la main sur son ventre rond pour replacer son tablier. Glissant ensuite la main à l'intérieur de sa robe bleu poudre pour ajuster la bretelle de son jupon, Angelina regarda Angelo d'un œil attendri. Il retourna à ses cigarettes tandis qu'Angelina, elle, reprit son rôle de commerçante et retourna à son poste, derrière la caisse.

— Alors, jeune homme, qu'est-ce que tu veux?

— Eh bien! dit Martin en se grattant la gorge. Bien, c'est pour l'affiche dans la vitrine. Je cherche un emploi... euh... après l'école et le samedi.

— Ah! un emploi? Angelo se tourna vers le comptoir. As-tu déjà travaillé? C'est dur, tu sais. Je ne veux pas d'un garçon paresseux, comme... ah! comment s'appelait-il déjà, Angelina? Ah! oui, Olivier! Toujours en train de fumer dans l'entrepôt. Il ne voulait pas travailler. Deux semaines et je lui ai dit de s'en aller. *Ciao, ciao, bambino*!

Angelo fit un geste en direction de la porte.

— Je ne sais pas ce que vous, les jeunes, vous avez dans la tête. Quand j'avais ton âge, en Italie...

— Quand tu avais son âge... Angelo... Tu ne te rappelles pas ce que tu faisais quand tu avais son âge, interrompit Angelina.

Puis, s'adressant à Martin:

— Tu as déjà travaillé?

— J'ai eu deux routes de journaux à Trois-Rivières... nous venons tout juste d'arriver à Montréal, sur la rue Jeanne-Mance. Mon père a été muté.

Martin se sentit un peu embarrassé par ces mensonges.

— Il travaille dans une manufacture, ajouta-t-il inutilement, pour rendre son histoire plus vraisemblable.

— Deux routes... c'est bien, dit Angelo. Nous, nous avons besoin de quelqu'un pour livrer les commandes d'épicerie: la bière, et toutes sortes de choses... Les gens sont devenus trop paresseux pour marcher deux coins de rue! Puis pour aider un peu ici, transporter des boîtes... Tu vois ce que je veux dire?

— C'est dur, ajouta Angelina.

Elle avait déjà décidé que ce garçon lui plaisait. Elle allait lui offrir l'emploi.

— Deux dollars cinquante l'heure. Plus les pourboires.

Angelina sortit de derrière le comptoir et se planta devant Martin.

— De quatre heures trente à huit heures tous les jours de la semaine plus les samedis. Et tu ne dois pas être en retard, ajouta-t-elle en posant une de ses grosses mains rondes à l'endroit où jadis s'était trouvée la taille et en pointant l'index de son autre main en direction de Martin.

— Minute! Minute!

Angelo se joignit à sa femme.

— Et l'école? Tu as de bonnes notes? Tout va bien? Parce que si tu ne réussis pas à l'école... pas d'emploi, dit énergiquement Angelo en hochant la tête. Tu ne veux pas finir comme moi, hein? L'instruction, c'est important pour ton avenir.

— Non, non, je suis bon en classe... Ah! particulièrement en maths.

Le visage de Martin s'empourpra. Il avait complètement oublié l'école depuis qu'il s'était embarqué dans cette aventure.

— Et ton papa, et ta maman, ils sont d'accord? demanda Angelina.

— Oh! oui. Ils trouvent que c'est très bien. Ils disent que ça va m'apprendre la valeur de l'argent. Vous savez comment sont les parents...

Angelo regarda sa femme d'un air complice. C'est beaucoup plus tard seulement que Martin apprendra la mort à la naissance de leur fils unique, il y avait de cela bien des années, et la longue dépression qui s'ensuivit pour ces deux-là qui aimaient tellement les enfants.

— *Si, si, si*. Marché conclu!

Martin serra la main tendue d'Angelo et rendit timidement leur sourire chaleureux à *Mamma* et *Papà* Carrera.

— Tu commences demain?

— Ça va pour demain. À huit heures et demie. Et je ne serai pas en retard. Vous pouvez compter sur moi, ajouta-t-il en regardant Angelina qui approuvait en souriant.

Martin entendit tinter la clochette accrochée en haut de la porte lorsqu'il l'ouvrit pour sortir.

— Eh! Comment t'appelles-tu? Nous ne savons même pas ton nom.

Angelina gesticulait et levait les épaules en guise d'interrogation.

— Martin!

— C'est très bien, Martin. Moi, c'est Angelina. Lui, c'est Angelo.

Elle prit une tablette de chocolat dans l'étalage à côté d'elle et la lança à Martin.

— *A domani! Eh! Ciao!*

* * *

Martin attendit que son vingt-cinq cents lui fasse savoir qu'il était bien passé avant de composer le numéro. Il appuya un bras sur le mur de la cabine téléphonique et écouta attentivement pendant que la sonnerie retentissait... une fois... deux fois... trois fois. Quatre fois.

— Dieu merci, c'est toi, Nathalie. Ne dis rien qui pourrait indiquer que c'est à moi que tu parles. J'aurais raccroché si ta mère avait répondu. Écoute, je ne pourrai pas te voir jeudi.

— Ah! pourquoi donc?

— J'ai trouvé un emploi. Dans une épicerie. Les propriétaires sont formidables! Peux-tu me rencontrer dimanche après-midi plutôt, à deux heures et demie?

— Euh! je ne sais pas.

— Allons, Nathalie! Dis à tes parents que tu vas au cinéma...

— Ça va. Où?

Même endroit. À la station Peel, près du kiosque à journaux.

— Entendu. *Bye!*

Martin raccrocha le récepteur et sortit humer l'air frais de l'automne. Il était fier de la façon dont il s'était conduit chez les Carrera et soulagé d'avoir trouvé du travail aussi facilement. Ce soir-là, en guise de célébration, il se paya le plat le plus cher qui se trouvait sur la carte d'un restaurant italien aux tables recouvertes de nappes à carreaux rouges et blancs.

10

Panique

NATHALIE SE MOUCHA DANS UN *Kleenex*. Ses yeux étaient mouillés et rouges, mais elle ne pleurait pas. Elle avait tellement pleuré depuis la veille au soir qu'il ne lui restait plus aucune larme. Elle était épuisée et vidée. Il y avait eu l'affrontement avec ses parents, avec Hélène. Puis, il y avait eu la déception profonde qu'elle avait ressentie à la suite de la découverte de sa propre faiblesse. Car elle n'avait pas pu résister aux pressions exercées sur elle. Elle avait l'impression d'être une petite fille perdue plutôt que cette jeune femme sûre d'elle et maquillée avec soin qu'elle avait présentée à Martin lors de leur dernière rencontre. Et maintenant, cette scène pénible...

L'agent vérifia l'heure à sa montre.

— Presque deux heures et demie. Vous êtes sûre que c'est bien ici?

Nathalie fit signe que oui en couvrant son nez avec le mouchoir de papier. Elle s'était résignée en présence de l'inévitable.

— Tout ira bien, Nathalie. Tu verras. Tu as fait ce qu'il fallait.

Hélène prit la jeune fille par les épaules et la tira contre elle en essayant de la consoler.

— Il fallait en arriver là. Ça ne pouvait pas continuer. Il faut en finir le plus vite possible. Tous les deux, vous êtes jeunes. Dans très peu de temps, vous oublierez et tout reviendra à la normale. Martin te pardonnera, tu verras. Je le connais bien.

Les deux agents en uniforme bleu et chaussures noires bien cirées se tenaient un peu à l'écart.

«Ils ont l'air tellement calmes, pensait Nathalie, tellement détachés.»

Le plus jeune des deux écrivait dans son carnet. Nathalie inspira profondément puis jeta un coup d'œil devant elle. À travers son regard brouillé par les larmes, l'espace ouvert prenait des airs de salle d'opération vide. L'éclairage au néon se reflétait brutalement dans la cage du percepteur et lui faisait mal aux yeux.

Le train en provenance de l'est venait d'arriver et les passagers sortaient des escaliers roulants pour se diriger vers divers points de sortie, chacun poursuivant son itinéraire particulier.

Les yeux de Nathalie se posèrent sur un jeune homme qui venait de se pencher, en haut de l'escalier, pour attacher ses lacets. «Comme Martin», se dit-elle. Au moment même où elle formulait sa pensée, le jeune homme se releva et rentra sa chemise dans son pantalon. Le cœur de Nathalie s'arrêta de battre et son estomac se noua. Elle plissa les yeux pour mieux voir.

Le jeune homme brun portant cravate et veston sport regardait droit vers elle maintenant, la bouche entrouverte, avec l'air de celui qui cherche à comprendre la scène qui se déroulait devant lui. Nathalie fut secouée alors que, soudainement, elle réalisait ce qui se passait. Sur-le-champ, sans réfléchir, elle prit une décision.

— Martin! Sauve-toi! Sauve-toi!

Elle criait avec toutes les forces qu'elle pouvait rassembler.

— Ils vont t'avoir! Sauve-toi, sauve-toi!

Sa voix mourut dans un sanglot. Le cri perçant avait perturbé la conversation qui s'était engagée entre tante Hélène et un des agents de police.

Panique! Martin ne savait plus quoi faire. On l'avait attaqué par surprise et l'inattendu de la situation l'empêcha pour un instant de réagir. Mais le son strident du cri de Nathalie le fit sortir de sa torpeur. Rapidement, il regarda autour de lui. Pas d'issue. Pas moyen de s'échapper. Redescendre les marches qu'il venait de monter? Non. Martin vit le policier buter contre le tourniquet récalcitrant qui exigeait de lui le prix du passage. En faisant demi-tour, il vit par dessus le garde-fou que le train en direction de l'ouest s'immobilisait le long de la plate-forme. Il jeta un autre coup d'œil en arrière et vit que les deux policiers s'engageaient dans l'espace libre, entre les tourniquets et la cabine du percepteur. Martin reconnut la voix bien particulière de sa tante tandis qu'il s'élançait dans l'escalier, sautant les marches trois par trois, courant vers sa seule chance de salut.

Juste comme la porte du train se refermait sur lui, il vit les deux uniformes bleus sortir en trombe de derrière le mur qui séparait l'escalier de la plate-forme et s'élancer vers la porte maintenant fermée. Le train prit de la vitesse et laissa là les deux poursuivants qui avaient couru à côté de la porte jusqu'au bout du quai, en criant des paroles inintelligibles.

Martin remonta le col de son veston avant de passer la porte de verre et d'aluminium à la sortie Atwater. Les quelques minutes qu'il avait fallu au train pour couvrir la distance entre les stations lui avaient paru durer une heure. Les escaliers roulants et les corridors qu'il venait de parcourir lui avaient semblé interminables.

La pluie d'automne qui tombait maintenant emportait avec elle cette peur et cette panique qui l'avaient saisi plus tôt. Le pincement de la pluie qui fouettait son visage, accentué par le vent froid venu du nord, Martin le sentit à peine. Il se dirigea vers la rue Sherbrooke en zigzaguant à travers les rues secondaires.

La panique fit bientôt place à une rage sourde qui montait du plus profond de son être. Une rage qui s'alimentait à même la frustration engendrée par cette trahison. Une rage qui n'était pas dirigée contre Nathalie, mais contre les circonstances qui l'avaient forcée à trahir. Une rage qui était dirigée contre des circonstances hors de son contrôle. Des circonstances qui faisaient qu'encore une fois il se trouvait tyrannisé. Et ce, parce qu'il avait essayé d'échapper à la tyrannie exercée par son oncle. Nathalie, sa seule confidente? Cette tyrannie des circonstances la lui avait enlevée. Tante Hélène? Cette tyrannie la rendait aveugle et l'empêchait de regarder la vérité en face. Les policiers en uniformes bleus que Martin croyait cachés dans tous les recoins, derrière toutes les portes? La tyrannie en faisait des chats sauvages prêts à bondir sur lui comme sur une souris. Les victimes innocentes, la tyrannie en faisait des fugitifs pourchassés.

Ces pensées se bousculaient dans la tête de Martin et la remplissaient d'images embrouillées et entassées pêle-mêle. Pourquoi lui? Il ne le savait pas. Il ne pouvait expliquer quoi que ce soit. Il était porté tout entier par les vagues de sa rage.

N'arrivant pas à se maîtriser, Martin empoigna une poubelle en métal qui se trouvait sur son chemin et l'envoya s'écraser sur un mur de brique. Le bruit causé par ce choc se répercuta, comme porté par la pluie, et des ordures se répandirent sur le trottoir. Martin courait maintenant, transi et trempé jusqu'aux os. Il avait des gros frissons, mais il n'aurait pas pu dire s'ils lui venaient du froid ou de la colère.

Martin poussa la porte du gymnase et passa le seuil. Son pied glissa et il alla se frapper contre le mur en blocs de ciment. Il aperçut une bourrure de football à ses pieds et vit que le plancher du gymnase en était partiellement couvert.

— Maudit!

Martin s'avança vers le chien tapi en face, au pied du mur. Mitcho s'était recroquevillé comme s'il avait su qu'une grande colère allait s'abattre sur lui.

— Maudit! Maudit! Maudit!

Martin donna un coup de pied au chien, en plein dans les côtes. Puis un deuxième. Avec toute la force dont il était capable.

Mitcho laissa échapper un cri plaintif et douloureux et s'enfuit par la porte restée ouverte.

Martin courut après lui.

— Qu'est-ce que j'ai fait? Qu'est-ce que j'ai fait? Mitcho!

Martin s'écroula sur le plancher. Pendant une éternité il resta là à sangloter, à côté de la porte ouverte.

11

Une pluie glaciale

LA PLUIE SE CHANGEAIT MAINTE-
nant en glace et le trottoir était devenu très
glissant. Martin dut s'accrocher à une boîte aux
lettres recouverte, elle aussi, d'une mince couche
de glace, pour s'empêcher de tomber. Il était
maintenant minuit. La pluie verglassante avait
découragé les gens de s'éloigner de leur téléviseur, tout à l'aise qu'ils étaient dans la chaleur de
leurs sofas. Les rues, donc, étaient désertes,
sauf pour quelques rares chauffeurs de taxi qui
s'étaient sentis assez braves pour partir à la
recherche de passagers éventuels.

Tout l'après-midi et toute la soirée, Martin
avait attendu le retour de Mitcho. Quand ses
larmes eurent cessé de couler, il avait ramassé
les bourrures de football éparpillées sur le plan-

87

cher comme si elles avaient été des morceaux de sa propre vie et il les avait arrangées de nouveau en pile. Il avait fait trop d'erreurs jusqu'ici. Il ne fallait pas qu'il laisse d'indices pour la ronde du concierge le lendemain. Ses vêtements mouillés enlevés, il s'était assis sur le matelas de gymnastique qui lui servait de lit. Il n'y avait aucun doute, l'épreuve avait été épuisante, mais c'est le traitement qu'il avait infligé à Mitcho qui lui rongeait le cœur et l'empêchait à présent de dormir. Alors, il resta assis dans la petite pièce sans fenêtre qui était devenue son seul foyer. Il se trouvait dans une espèce d'état de veille silencieuse, à l'affût du moindre indice du retour de son chien.

De temps en temps, avec le sac de couchage sur ses épaules, il quittait la pièce pour aller faire un tour du côté du gymnase et de la porte qu'il avait laissée entrouverte en signe de bienvenue à l'intention du chien. Chaque fois, il revenait déçu. Chaque fois, il sentait monter en lui cette douleur qui prenait petit à petit la place de l'amour qu'il avait ressenti envers son seul ami.

Mitcho aussi était perdu pour lui maintenant.

Pendant la semaine qu'il avait passée à travailler à l'épicerie, il s'était attaché à Angelo et Angelina et eux à lui. Il avait même participé à leurs taquineries perpétuelles. Mais il savait bien que même ces deux-là pourraient difficilement remplacer Mitcho. Mitcho, son seul confident, celui qui avait été à ses côtés depuis le début, le seul avec qui il pouvait tout partager, le seul qui comprenait. Mitcho, seule présence constante dans le tumulte qu'était devenue sa vie.

— Mitcho! S'il te plaît, Mitcho. Reviens à la maison.

Martin l'appelait de temps en temps, mais sa faible voix lui était rejetée au visage par la force du vent qui s'était joint à la pluie. Martin avait arpenté le boulevard Saint-Laurent en zigzaguant, parcourant un pâté de maisons d'un côté de la rue, un pâté de maisons de l'autre. Il avait exploré les ruelles sombres. Il était allé dans tous les recoins où il pensait qu'un chien errant pourrait chercher refuge. Il n'avait rien trouvé.

Il demandait aux rares passants qu'il rencontrait s'ils n'avaient pas vu son chien. Au bout de plusieurs heures, il dut abandonner et reprendre le chemin du retour, au moment où bars et discothèques fermaient. Rien. Toujours rien.

Martin traversait maintenant le grand parc qui se trouvait au pied de la montagne et où lui et son chien étaient venus si souvent, aux premiers jours de liberté, faire un peu d'exercice, prendre l'air frais ou passer le temps. Le sol encore imprégné de la chaleur de l'été tout récent empêchait la glace de se former sur le gazon, mais les arbres, eux, trop éloignés du sol protecteur, étaient recouverts d'une mince couche de cristal. Ils prenaient ainsi l'allure de fossiles des dinosaures préhistoriques qui avaient pu jadis s'aventurer ici.

Martin frissonnait. Son poncho jaune muni d'un capuchon gardait bien la partie supérieure de son corps au sec sinon au chaud. Mais ses pieds étaient mouillés et les jambes de son pantalon, à demi-glacées, se frottaient l'une contre l'autre quand il marchait. Il se dirigea vers le monument qui se trouvait au centre de ce grand espace ouvert. Sous l'éclairage des lampadaires de l'avenue du Parc alignés une centaine de pieds plus loin, le parc avait pris une teinte irréelle toute en bleu et en blanc. Pour la millième fois, Martin repassa dans sa tête les événements qui l'avaient mené jusqu'ici: sa fuite dans le métro, son retour à la maison sous la pluie, l'échappée de Mitcho par la porte du gymnase. Tout cela n'avait aucun sens. Pourquoi Nathalie l'avait-elle trahi? Pourquoi est-ce qu'Hélène ne l'avait pas cru? Pourquoi avait-il si sauvagement attaqué un chien sans défense? Pourquoi son oncle Réjean l'avait-il battu?

Rendu au pied du monument, Martin s'arrêta net.

Sa tête était bombardée d'images floues qui s'entrechoquaient: son oncle Réjean qui le battait; Mitcho; lui qui battait Mitcho. La vérité le frappa aussi soudainement que les éclairs zébraient le ciel. Il n'était pas différent de son oncle. Il avait lui aussi brutalisé une victime innocente. Il était lui-même devenu ce que précisément, et de toutes ses forces, il avait tenté de fuir.

Il releva la tête vers le grand monument de granit et pria, doucement mais à voix haute, comme si ce monument imposant était un Dieu, un Dieu qui entend, un Dieu qui comprend, un Dieu qui pardonne.

— Je vous en prie, mon Dieu. Pardonnez-moi! Arrangez tout, je vous en supplie. Faites que Mitcho revienne. Je ferai tout ce que vous voudrez. Je vous en prie, rendez-moi mon chien.

Martin sortit du parc. Il n'avait plus aucun espoir. Il avait remis son sort et celui de Mitcho entre les mains d'un Dieu dont il n'était même pas sûr qu'il existe. Il ne pouvait rien faire de plus. Il continua quand même son chemin comme pour faire pénitence. Comme si la souffrance pouvait lui apporter pardon et soulagement. Mais il avait perdu l'espoir de jamais retrouver le pauvre chien.

La pluie et le vent avaient cessé et l'aube grise se levait lorsque Martin regagna l'école abandonnée. Il continua de monter la garde en silence, assis sur le matelas, comme il l'avait fait la veille. Puis, il entendit le concierge traverser le gymnase, comme d'habitude.

— La vie continue, se dit Martin, malgré ma peine.

L'épuisement avait fait place à l'usure, ce qui provoqua en lui une espèce de transe. Il était trop fatigué pour dormir, trop vidé pour réagir. Pour la première fois, il ne se sentait pas la force de suivre le vieil homme dans sa tournée comme si quelque chose d'extraordinaire venait de se produire.

Dans l'après-midi, Martin abandonna sa veille. Il n'avait vraiment pas le choix. Il fallait qu'il aille travailler. La vie continuait, malgré tout. Pas d'alternative. Il fallait qu'il ramasse les morceaux et reprenne sa vie en main.

Comme d'habitude, Martin entendit tinter la clochette lorsqu'il referma la porte de l'épicerie derrière lui. Il dit doucement «allô» à Angelina, installée derrière le comptoir et complètement absorbée par les calculs qu'elle faisait sur un sac de papier.

— *Ciao* Martin!

— *Ciao*!

La voix d'Angelo lui arrivait de derrière une allée remplie de piles de boîtes de biscuits et de soupes et de centaines d'autres articles.

— Pourrais-tu mettre un peu d'ordre dans l'entrepôt? Je l'ai laissé tout à l'envers. Tu veux?

— Oui.

La voix de Martin était à peine audible.

Il alla s'écraser au fond de l'entrepôt, sur une boîte de carton remplie de cannettes de soupe et tomba immédiatement endormi.

— Martin! *Mamma mia*, Martin! Qu'est-ce que tu fabriques? Viens ici. Il y a une livraison à faire.

Martin, arraché au sommeil par la voix forte de la patronne, poussa la porte de l'entrepôt et, comme un zombie, traversa l'allée en direction de la caisse et d'Angelina.

— Martin! Oh! *Santa Maria*! Qu'est-ce qu'il y a? Tu es affreux à regarder.

Elle examina la pauvre figure ébouriffée qui se trouvait devant elle. Le visage était d'un blanc de craie et des cernes noirs sous les yeux lui donnaient l'air d'un masque mortuaire.

— Tu es malade?

Les genoux de Martin flageolaient.

— Viens. Viens.

Angelina le poussa vers la chaise brisée, à côté du comptoir, et le fit s'asseoir. Puis, elle posa sa main froide sur le front brûlant de Martin.

— Tu fais de la fièvre. Va-t-en tout de suite à la maison. Donne-moi ton numéro de téléphone, je vais appeler ta mère.

Trop épuisé et trop malade pour protester, il prononça le seul numéro de téléphone qu'il connaissait à Montréal: celui de sa tante Hélène. Angelina, qui était passée derrière le comptoir, nota les chiffres sur un sac de papier, prit le téléphone et composa le numéro.

Elle raccrocha.

— Pas de réponse. Elle travaille, ta mère?

Martin fit signe que oui.

— Tant pis, tu vas prendre un taxi. Angelo!

Elle décrocha encore une fois le téléphone et appela un taxi. Ensemble, Angelo et elle habillèrent l'espèce de pantin obéissant qui se laissait faire. Martin ne s'inquiétait même pas du fait qu'Angelina ait appelé sa tante. Dans l'état où il se trouvait, il était prêt à accepter son sort, quel qu'il soit.

Angelina glissa un billet de 5 $ dans sa main.

— C'est assez?

Martin acquiesça d'un signe de tête.

— Bon, va-t-en à la maison et repose-toi! Ne reviens pas avant d'être tout à fait mieux. Ne t'inquiète pas. Reste au lit. Ta mère va bien s'occuper de toi.

Angelo et Angelina l'embrassèrent en même temps, chacun de son côté, avant de le pousser jusqu'au taxi qui attendait.

12

Fièvre

LE CHAUFFEUR DE TAXI RANGEA son véhicule près du trottoir et arrêta le compteur.

Martin s'assit au bord du siège et tendit le bras en direction du chauffeur. Il déposa sur le siège avant le billet de 5 $ tout froissé qu'il tenait dans sa main et se fit glisser vers la porte.

— Merci beaucoup, jeune homme.

Martin ne prit même pas la peine d'attendre la monnaie. Il fit claquer la porte et s'engagea dans la rue, puis le terrain vague et, enfin, la ruelle étroite qui menait à son chez-lui.

Un frisson le parcourut tandis que le vent froid le poussait dans le dos. Il tituba jusqu'à la porte, ne voyant et ne sentant rien, à part une douleur dans les jambes et dans les bras.

Il avait descendu deux des quatre marches qui précédaient la porte lorsque son œil perçut soudainement ce qui ressemblait à un tas de guenilles mouillées et abandonnées dans l'entrée déserte.

— Mitcho! Tu es revenu!

Martin pencha son corps alourdi en direction de la masse de fourrure abîmée et, doucement, passa sa main derrière la tête du chien.

— Viens, mon vieux! Entrons.

Mitcho regarda Martin. Il se leva tout doucement. Une patte à la fois, il descendit la dernière marche, fit quelques pas hésitants sur le plancher du gymnase, puis s'arrêta. Il regarda derrière, par dessus son épaule, et vit Martin qui fermait la porte. Il claudiqua ensuite jusqu'à la porte de métal qui cachait leur petite chambre. Martin ouvrit, fit de la lumière et regarda le pauvre chien, tout en frissons, se diriger vers le matelas.

Mitcho fit un cercle en s'enroulant sur lui-même et déposa la tête sur son derrière en observant Martin de ses yeux tristes. Martin ne prit même pas la peine d'enlever ses vêtements avant d'éteindre. Il alla s'étendre à côté du chien et enroula son corps autour de lui de façon que son visage soit près de celui de Mitcho. Il tira le sac de couchage sur eux et, tous les deux, ils s'enfoncèrent rapidement dans le sommeil sans rêves de ceux dont la fatigue est extrême. Martin eut le temps de formuler une dernière pensée avant de glisser pour de bon dans les ténèbres du sommeil. Son esprit fit rejouer la scène du parc et de sa prière au pied du monument.

— Merci, murmura-t-il.

C'était déjà l'après-midi quand les deux amis se réveillèrent. Le concierge était venu et il était reparti. Mais ils n'avaient rien entendu ni l'un ni l'autre. Jamais de leur vie ils n'avaient dormi d'un sommeil aussi long et aussi profond. La fièvre de Martin avait disparu, mais un peu de nausée traînait encore au creux de son estomac. La fourrure de Mitcho avait séché et il avait cessé de grelotter. Tous les deux, ils avaient mal aux muscles quand ils faisaient le moindre mouvement et Martin avait encore de petits frissons de temps à autre.

Ensemble, ils traversèrent lentement et péniblement le gymnase, examinant tout autour d'eux. On aurait dit les survivants d'un tremblement de terre en train d'évaluer les dommages causés à leur demeure. Seulement, des dégâts il n'y en avait pas. Tout était normal. Chaque chose était à sa place. Absolument aucune trace du tremblement de terre qui avait secoué leurs deux vies. Martin perçut l'aspect normal de l'école comme bien étrange.

Avec l'air de ces blessés laissés derrière par leur armée en retraite, ils firent le tour de l'école. Comme Martin l'avait fait si souvent, ils jouèrent à être l'ombre du concierge. Le jeune garçon put ainsi vérifier l'état de ses membres en essayant de leur faire faire les mouvements habituels. Le chien, lui, suivait en sautillant sur trois pattes, la quatrième étant trop douloureuse pour supporter le poids de son corps. Ils arpentèrent ainsi les corridors l'un après l'autre puis revinrent au gymnase. Les corridors et le gymnase, que Mitcho avait parcourus et explorés avec tellement d'intensité et de curiosité durant les absences de Martin, ne présentaient que bien peu d'intérêt aujourd'hui. Les yeux de Mitcho étaient vitreux. Il avait la queue et les oreilles basses.

L'énergie dépensée pendant la tournée les épuisa tous les deux et ils retournèrent à leur lit et au sommeil bienfaisant. Cette fois, Martin se déshabilla avant d'éteindre.

Ils furent réveillés par l'arrivée du concierge, le lendemain matin. Martin s'assit dans le noir et suivit en pensée les déplacements du vieil homme. Mitcho dressa les oreilles mais resta immobile.

— C'est surprenant, se dit Martin, comme Mitcho comprend tout.

Le chien, d'ordinaire si enjoué et si spontané, n'émit aucun son et ne fit aucun mouvement qui aurait pu les trahir durant tout le temps que dura la visite du concierge. C'était comme s'il avait compris la nécessité d'être tout à fait silencieux afin de ne pas être découvert. C'était comme s'il partageait la peur de Martin, sa vision du monde. Ils étaient dans cette galère ensemble, pensait le garçon. La porte d'entrée claqua en se refermant. Martin sut ainsi que le concierge était parti pour la journée.

— J'ai faim. Et toi?

Martin frotta affectueusement le poil de Mitcho et sortit du lit. Ses muscles ne lui faisaient plus mal, mais il était encore un peu ankylosé. Il essuya son nez coulant avec un T-shirt sale. Il était bien content que les frissons aient disparu. Mitcho ne boitait presque plus maintenant et ses yeux avaient retrouvé un peu de leur éclat et de leur malice. Il portait haut sa queue et ses oreilles. Martin savait que leur guérison n'était plus qu'une question de temps.

Le jeune homme s'habilla chaudement et se rendit sur la rue Saint-Laurent pour acheter de quoi les nourrir. Il s'arrêta dans un snack-bar, mangea deux bols de soupe au poulet et aux nouilles et but une tasse de thé. Quoique très affamé, cela suffit pour le rassasier. Il s'arrêta ensuite chez l'épicier pour acheter deux boîtes de nourriture pour chien. En revenant à la maison, il s'arrêta chez le boucher prendre un os pour Mitcho.

Martin s'attaqua à la boîte de métal avec le couteau de l'armée suisse que son oncle Réjean lui avait donné à son dernier anniversaire. À côté de lui, Mitcho s'adonnait, en anticipant son plaisir, à une espèce de danse sur trois pattes, la quatrième n'étant pas encore très solide. Il n'avait pas mangé depuis longtemps, le pauvre. Mais, même s'il n'avait pas mangé de nourriture pour chien depuis qu'il était parti de chez Hélène, il reconnaissait parfaitement la boîte et le rituel de l'ouverture. La salive coulait au coin de sa gueule. Martin le regarda manger. Malgré son grand appétit, Mitcho mangeait lentement, laissant même un peu de nourriture, comme s'il avait senti que son estomac n'était pas encore prêt à en recevoir davantage.

C'est de cette façon que, dans leur cachette, les deux amis passèrent les deux journées suivantes. Martin sortait de temps en temps chercher de quoi manger et à l'occasion le chien l'accompagnait. Ils dormaient, mangeaient, faisaient le tour de l'école, explorant quelque nouveau recoin que Martin ne connaissait pas encore ou examinant plus attentivement ceux qu'il connaissait déjà. Martin en profita pour lire à voix haute un des livres qu'il avait trouvés. Mitcho, curieusement, semblait écouter. Le seul son de la voix de Martin savait le calmer.

Jeudi soir, Martin ne sentait plus aucune des douleurs des jours précédents. En revenant du dépanneur, il entra dans une cabine téléphonique, déposa vingt-cinq cents et, sous l'impulsion du moment, composa le numéro de sa tante.

— Allô... Allô... Qui est là?... Allô?!...

Il raccrocha. Il ne voulait pas vraiment parler à Hélène. Qu'est-ce qu'il aurait bien pu lui dire? Il avait simplement eu envie d'entendre sa voix. C'est alors que Martin réalisa toute l'étendue de sa solitude.

Vendredi, Martin se sentit tout à fait bien. Son corps jeune et fort avait récupéré rapidement. Tout ce qu'il lui restait de sa maladie, c'était un léger reniflement. Il décida donc d'aller travailler. Comme il avait hâte de revoir Angelo et Angelina! Après avoir pris une douche froide dans l'une des cabines sales près du vestiaire, au bout du gymnase — l'eau chaude était le seul luxe qui manquait vraiment à Martin dans son nouveau foyer — il s'habilla, puis enfila sa veste et sa tuque. En se penchant vers lui, il dit au chien:

— Merci d'être revenu à la maison, Mitcho. Merci de m'avoir pardonné. Je ne sais pas pourquoi j'ai fait ça. Je ne me comprends pas moi-même. Ça n'arrivera plus jamais. Je te le promets. Je vais prendre bien soin de toi. Toujours.

Mitcho lécha la joue de Martin et, du coin de plancher où il s'était accroupi, le regarda sortir.

13

Angelo et Angelina

MARTIN OBSERVA UN MOMENT LE derrière généreux d'Angelina à travers la vitrine du magasin. Elle était pliée en deux, les coudes appuyés sur le comptoir, la tête posée sur ses mains. Martin se moucha, mit le *kleenex* dans sa poche, puis entra.

— Martin!

Angelina porta les mains à sa poitrine et, trottinant jusqu'au bout du comptoir, alla à la rencontre de Martin. Elle ouvrit grands les bras, puis le tira vers elle.

— Oh! Martin, j'ai été tellement inquiète. J'aurais voulu téléphoner pour savoir comment tu allais mais j'avais perdu ton numéro. Je l'avais rangé quelque part pour ne pas le perdre, puis j'ai oublié où. C'est bien moi, ça... Angelo! Angelo! C'est Martin!

Angelo arriva de l'entrepôt en courant.

— Ah! Martin! Ça va mieux? Eh? C'est bien, ça.

Dans un geste affectueux, il ébouriffa les cheveux du jeune garçon.

Angelina fit de la tisane à la camomille et ils s'assirent tous les trois pour jaser un brin. C'est Angelo qui avait dû faire les livraisons sur le triporteur pendant l'absence de Martin. Les histoires qu'il leur raconta à propos des femmes qu'il avait rencontrées les firent pouffer de rire. Martin était soulagé de voir qu'on ne lui posait pas trop de questions. Ainsi, il n'aurait pas besoin d'inventer des mensonges. Il n'avait jamais aimé mentir. Surtout à ces deux amis qui lui étaient encore plus chers qu'il ne l'avait réalisé jusqu'alors.

Leur affection mutuelle grandit encore au cours des semaines qui suivirent. Martin vint facilement à faire partie de l'épicerie Carrera. Plusieurs parmi les clients réguliers en avaient conclu qu'il était le petit-fils d'Angelo et d'Angelina, tellement leurs rapports étaient naturels. Ils avaient tous les deux confiance en Martin et chaque fois qu'ils avaient besoin de sortir, c'est Martin qui prenait en charge le magasin. Angelina lui avait expliqué son système de comptabilité un peu primitif et jamais elle ne vérifiait ses calculs, chose qu'elle faisait pourtant toujours dans le cas d'Angelo.

Pour sa part, Martin avait commencé à trouver cette paix et cette stabilité dont il avait tellement et depuis si longtemps besoin. Il avait acheté quelques affiches et avait essayé de rendre sa cellule un peu plus habitable. Chez un brocanteur, il avait trouvé une jolie lampe qu'il avait mise sur une boîte de carton, à côté de son lit. Sa petite chambre du sous-sol prenait des allures intimes depuis qu'il n'était plus obligé de se servir de l'ampoule toute nue qui pendait au plafond. Lorsqu'ils s'étaient acheté un téléviseur couleur, Angelina avait insisté pour que Martin emporte leur vieil appareil noir et blanc.

— Pour ta chambre, avait-elle dit.

Le dimanche, Angelo prit bientôt l'habitude d'emmener Martin au match de soccer du quartier. Des matches de soccer, Martin n'en avait jamais vu avant. Angelo était toujours fier de le présenter aux autres en disant: «mon garçon». Cela faisait toujours rougir Martin mais en même temps cela lui faisait plaisir. Après tout, les Carrera étaient toute la famille qu'il avait. Il ne comprenait rien quand Angelo discutait ou se disputait amicalement en italien avec ses copains du dimanche, mais jamais il ne se sentait laissé de côté. Il avait toujours l'impression d'être inclus. Angelo y veillait. Il expliquait à Martin toutes les conversations.

Quand Martin et Angelo rentraient à l'appartement en haut de l'épicerie, où les Carrera habitaient depuis trente ans maintenant, Angelina était toujours là à les attendre. La vaisselle du dimanche était étalée sur la table et la bonne odeur de cuisine italienne remplissait toute la maison.

Après le repas, ils s'assoyaient devant le téléviseur, orgueil d'Angelina, et regardaient des émissions amusantes. Angelina ne comprenait pas grand-chose à ce qui se passait et posait des tas de questions. Cela tombait sur les nerfs de son mari. Mais elle adorait regarder ces émissions, même si elle ne comprenait pas. Elle aimait particulièrement les reprises de *I love Lucy*. Vers dix heures, Martin se sentait toujours un peu triste, car il devait rentrer chez lui, «pour ne pas être trop fatigué pour l'école».

* * *

— Martin, tu restes à souper avec nous ce soir, même si c'est vendredi? Dis oui! Téléphone à ta maman pour l'avertir. Il faut que je te parle de quelque chose. Mais ne dis rien à Angelo. C'est un secret.

Ils firent tous les trois honneur aux bons plats d'Angelina. Elle était montée du magasin de bonne heure pour tout préparer. Ils riaient, placotaient et se taquinaient les uns les autres comme ils avaient l'habitude de le faire à longueur de journée dans le magasin. Martin remarqua cependant qu'Angelina était plus animée que d'habitude. Il pressentait que cela avait un rapport avec son secret.

Ensemble, ils desservirent la table et firent la vaisselle. Angelina lavait pendant que les deux hommes séchaient et rangeaient la vaisselle dans les armoires. Quand ils eurent fini, Angelina enleva le tablier fleuri qu'elle portait toujours dans l'appartement et le lança sur une chaise.

— Angelo, descends à l'épicerie et compte l'argent dans la caisse. Je n'ai pas eu le temps de le faire aujourd'hui. Laisse-moi parler un peu avec Martin. Je n'ai jamais la chance d'être seule avec lui, moi. Il faut toujours que tu mettes ton nez dans nos affaires.

Angelo s'exécuta sans rien dire, mais Martin devinait qu'il était aussi surpris que lui par la demande d'Angelina. Elle ne laissait jamais Angelo compter l'argent à moins que ce ne soit absolument nécessaire.

— Viens ici.

Elle indiqua la chaise qu'elle avait tirée de sous la table. Martin s'assit et Angelina fit reposer son poids sur la chaise qui se trouvait à côté.

— Vendredi prochain, le 14 décembre, c'est l'anniversaire d'Angelo.

Angelina regardait Martin droit dans les yeux. Son air sérieux laissait pointer un peu de mystère.

107

— Il va avoir 65 ans. Il ne veut pas l'admettre, mais il va avoir droit à la pension de vieillesse. Imagine! La pension de vieillesse...

Angelina hochait la tête, incrédule.

— Bien, voilà. Je prépare une grande fête. Tout le monde sera invité. Les clients. Tout le monde. Tu vas le dire à tous les amis d'Angelo au match de soccer. J'ai loué le sous-sol de l'église au coin de la rue. Ce n'est pas une église catholique, mais ça ne fait rien. Ce sera une grosse surprise. Angelo ne doit absolument rien savoir.

Ils passèrent en revue les plans d'Angelina, firent de petits changements ici et là quand elle avait oublié certains détails.

— Je suis tout excitée! dit-elle en joignant les mains et en écarquillant les yeux. Mais, souviens-toi, c'est une surprise!

Angelo parut dans l'entrée.

— Qu'est-ce qui se passe ici? Qu'est-ce que vous avez à murmurer tous les deux?

— Angelo! Combien de fois est-ce que je t'ai dit de ne pas mettre ton gros nez dans les affaires qui ne te regardent pas? C'est notre secret à nous. Pas vrai, Martin?

Angelina lui donna un petit coup sur le bras et lui fit un clin d'œil complice.

Puis, ils regardèrent tous les trois quelques émissions à la télé couleur qui trônait au centre du salon avant que Martin ne rentre.

Le garçon ricanait tout seul lorsqu'il s'engagea dans le passage derrière l'école. Angelina était tellement excitée que si quelqu'un était susceptible de dévoiler son secret à Angelo sans le faire exprès, c'était bien elle.

— Eh! toi! Viens ici.

Martin se retourna vivement. La lumière d'une lampe de poche venue d'une auto de patrouille l'atteignit en plein visage. Il plaça une main devant les yeux, pour éviter d'être aveuglé, et put voir un peu mieux.

— Il faut que je reste calme, se dit-il.

Nerveux, son estomac réagit instantanément à la peur qu'il ressentit en dedans.

Martin s'approcha de l'auto pour parler aux deux policiers, enfonçant sa tuque jusqu'au bout des oreilles pour essayer de cacher un peu son visage, au cas où ils auraient vu une photo de lui.

— Qu'est-ce que tu fais là?

— Moi? Euh! je voulais juste faire pipi, m'sieur. Je rentre chez moi.

— Où est-ce que tu habites?

— Sur la rue Tupper.

— C'est à l'autre bout de la ville. Qu'est-ce que tu fais par ici?

— Euh! je travaille dans une épicerie, sur la rue Rachel. Je fais des livraisons... des choses comme ça.

— Il est pas mal tard. La plupart des magasins sont déjà fermés depuis une bonne heure.

— Il a fallu que je reste un peu plus tard. Pour tout préparer. Pour demain. C'est notre plus grosse journée.

— Comment t'apelles-tu?

— Martin. Euh! Martin Carrera.

Martin espérait qu'il n'avait pas trop rougi.

— Écoute, Martin, tu n'es pas en train de préparer un mauvais coup, hein? Du vandalisme, par exemple? Nous avons eu plusieurs appels dernièrement.

Martin ravala sa salive.

— Quelqu'un a vu des gars entrer par effraction dans cet édifice.

L'agent pointait du doigt l'usine de vêtements abandonnée, à côté de l'école. Martin se sentit un peu soulagé.

— As-tu des pièces d'identité?

— Non, m'sieur.

Martin frappa des mains sur ses poches pour bien montrer qu'il n'avait pas de porte-monnaie.

— Écoute, mon jeune. On a ton nom et si on reçoit des rapports, tu peux être sûr qu'on va te retrouver. Si j'étais toi, je déguerpirais aussi vite que possible. Compris?

— Oui, m'sieur.

L'auto s'éloigna dans un bruit de pneus.

Par précaution, Martin ne rentra pas directement à l'école. Il descendit vers la rue Sainte-Catherine et se mêla à la foule du vendredi soir pendant une couple d'heures avant d'oser se glisser le long des ruelles pour retrouver Mitcho.

14

Un sous-sol illuminé

— ALORS, MADAME VITOVITCH, vous serez là à 8h30 ce soir? Je ne vous le pardonnerais jamais si vous ne veniez pas. Entendu?

La vieille Ukrainienne coiffée d'un foulard fleuri fit signe que oui et, dans un large sourire, montra sa belle dent dorée à Angelina. Elle transféra son grand sac d'un bras à l'autre et ouvrit la porte pour sortir.

— Amenez votre mari! Amenez tout le monde! lui cria Angelina pendant que la porte se refermait.

— Oh! Martin, je suis tellement nerveuse... Penses-tu que les gens vont venir? Je n'ai jamais organisé une aussi grande fête!

— Ne t'inquiète pas, Angelina. Tout le monde sera là. Ces gens, ils sont tous vos amis. Après tout, ça fait trente ans qu'ils vous côtoient. Vous avez vu leurs enfants grandir et avoir des enfants à leur tour. Bien sûr qu'ils vont être là!

Martin était certain que la fête allait être un succès mais, néanmoins, il était aussi nerveux qu'Angelina.

Durant toute la semaine, ils avaient parlé de la fête aux clients. Quelquefois, si Angelo était là, Martin accompagnait une cliente jusqu'au trottoir, sous prétexte de l'aider à porter ses sacs d'épicerie ou d'aller balayer un peu devant le magasin, puis il expliquait ce qui allait se passer. Quand il faisait ses livraisons, il en profitait pour inviter les gens. Ils avaient pris tellement de précautions, Angelina et lui, que plusieurs personnes avaient probablement été invitées plus d'une fois.

Martin s'était «absenté de l'école» pour aider. Il avait dit à Angelo que c'était un congé spécial, que les professeurs avaient une quelconque réunion. Angelo n'avait pas osé poser de questions, mais il n'était manifestement pas content.

— Congé pour ci, congé pour ça, disait-il. Comment font-ils pour trouver le temps de vous enseigner quoi que ce soit?

Vers midi, Angelina sortit le gâteau qu'elle avait caché sous le comptoir et alluma une seule bougie plantée bien au centre. C'est elle qui avait pensé au gâteau. Elle s'était dit que s'il y avait une petite fête dans le magasin, avec un gâteau, Angelo aurait encore moins de raisons de soupçonner qu'il y aurait une vraie surprise plus tard.

— Angelo, viens ici!

Martin et Angelina entonnaient de leurs plus belles voix un «Bonne fête» dissonant lorsqu'Angelo sortit de l'entrepôt. La voix de soprano d'Agelina dominait celle de Martin.

— Oh! Mon Angelina. Je t'adore!

Il passa un bras autour des épaules de sa femme et posa un gros baiser humide sur sa joue. De son autre bras, il attira Martin dans le cercle intime, jusqu'à ce que leurs trois têtes se touchent.

— Ma famille! Vous vous êtes souvenus de l'anniversaire d'un vieil homme...

Ils mangèrent un peu de gâteau et burent la tisane à la camomille qu'Angelina avait préparée. Ils firent évidemment toutes sortes de blagues sur le fait qu'Angelo avait maintenant droit à la pension de vieillesse. Ils offrirent du gâteau aux clients, qui étaient tous au courant qu'une grosse fête aurait lieu ce soir-là, mais qui faisaient tout de même semblant d'être surpris d'apprendre que c'était l'anniversaire d'Angelo.

Angelina passa presque tout l'après-midi au téléphone à chuchoter pour vérifier ceci, organiser cela. À six heures, elle appela Angelo au comptoir.

— Il faut que j'aille à la clinique. Je monte me changer.

— Le docteur? Mais pourquoi? Tu n'es pas malade?

— Angelo! Non, je ne suis pas malade. C'est une affaire de femme.

Elle savait qu'Angelo ne posait jamais de questions quand il s'agissait «d'affaires de femmes».

— Tu as une livraison à faire à l'église au coin de la rue. Va d'abord voir M. Giguère, le concierge. Il va t'ouvrir la porte et te montrer où aller. Mais n'arrive pas avant 8 h 30, il ne serait pas là. Prends la camionnette, dit-elle en lui tendant la liste qu'elle avait rédigée en italien.

— Deux caisses de Coca-Cola? Deux caisses de Ginger Ale? Deux caisses... *Mamma mia!* Qu'est-ce qu'ils vont faire avec ça? On n'a sûrement pas toutes ces choses dans l'entrepôt!

— Il y a un mariage demain. C'est pour la réception au sous-sol. Va chez le grossiste chercher ce qu'il faut. Ils sont ouverts jusqu'à 9 h ce soir. Martin va fermer le magasin et compter l'argent.

Angelo haussa les épaules et, en hochant la tête, retourna à l'entrepôt tout en examinant la liste. Angelina fit un clin d'œil à Martin, l'embrassa en vitesse et trottina jusqu'à la porte de l'appartement.

Aussitôt que Martin entendit Angelo s'éloigner dans la camionnette, il courut vers l'entrepôt et ferma à clé la porte qui donnait sur la ruelle. Puis, il verrouilla la porte d'en avant et éteignit toutes les lumières, sauf celle qui se trouvait au-dessus de la caisse. Il attrapa le sac de papier qu'il avait caché sous le comptoir et se rendit à toute vitesse à l'appartement, où il enfila les vêtements qu'il avait pliés avec beaucoup de soin et rangés dans le sac.

Martin consulta sa montre avant d'entrer au sous-sol de l'église. Il était 7 h 45. Tout se déroulait comme prévu. Le bruit des conversations animées et le rire des enfants du voisinage frappèrent Martin dès qu'il ouvrit la porte. Tout était tellement paisible dehors qu'il avait été surpris de voir et d'entendre cette agitation. Plusieurs personnes montées sur des escabeaux mettaient la touche finale aux décorations. Des banderoles vertes, blanches et rouges pendaient de divers points du plafond et se rejoignaient au centre. Des centaines de ballons étaient gonflés et groupés en bouquets. Un dans chaque coin et le plus gros au milieu.

Sur un des murs pendait une grande bannière en papier sur laquelle on avait peint les mots «Joyeux anniversaire Angelo». Des petits drapeaux aux couleurs de l'Italie, vert, blanc et rouge, étaient croisés juste au-dessus. M.

Boudreau, le joyeux fabricant d'enseignes originaire du Nouveau-Brunswick, essayait de fixer un des coins de la bannière qui n'arrêtait pas de se décoller. Il aperçut Martin et lui fit un signe de la main. La boutique de M. Boudreau était sur la même rue que l'épicerie dont il était l'un des clients réguliers.

Sur chaque table, il y avait un petit bouquet de chrysantèmes saupoudrés aux couleurs de l'Italie, compliments du fleuriste Mick-L-Ange.

Tout le monde était occupé. Sauf les fervents de soccer regroupés dans un coin qui, eux, étaient plongés dans une de leurs discussions animées et sans fin.

— Allô Martin! Ce n'est pas beau tout ça? Penses-tu qu'il va être surpris?

— Bonsoir, madame Papadopoulos. C'est vraiment incroyable! Avez-vous vu Angelina?

— Elle est près du buffet. Elle n'arrête pas de courir. On dirait une poule à qui on vient de couper la tête! Je me demande où elle prend toute cette énergie.

Martin se fit un chemin au travers des groupes. Angelina s'affairait à déplacer et replacer les plateaux remplis de victuailles représentant au moins 20 pays différents. Car les voisines s'étaient toutes senties obligées d'apporter quelque chose à ajouter au buffet, pourtant bien garni, qu'Angelina avait commandé à Maria Sicotte, traiteure préférée des résidants du quar-

118

tier et une des meilleures clientes de l'épicerie Carrera

— *Mamma mia*! Que tu es belle ce soir!

Martin essaya, plutôt timidement, d'imiter le geste qu'il avait vu faire si souvent à Angelo et donna une petite tape maladroite sur le derrière d'Angelina

— Oh! Martin! Oh! Martin! C'est beau hein?

Angelina ne paraissait pas offusquée du geste de Martin. Peut-être qu'elle n'avait rien senti à cause de la gaine épaisse et raide qu'elle portait sous sa belle robe rouge toute neuve.

— Regarde-moi un peu.

Angelina recula un brin pour admirer Martin. Il portait veste et cravate, comme lorsqu'il était allé rencontrer Nathalie, il y avait bien longtemps de cela lui semblait-il.

— Je ne t'ai jamais vu si bien habillé. Comme tu es beau!

Elle porta les mains à sa poitrine et roula les yeux vers le ciel.

— Attention aux filles!

Elle lui pinça la joue.

— Elles vont courir après toi jusqu'à ce qu'elles t'attrapent!

Martin devint cramoisi.

Les lumières s'éteignirent, puis se rallumèrent.

— Il s'en vient! Il s'en vient!

Tout le monde parlait en même temps alors que les lumières s'éteignirent pour de bon.

— Chhhhhhhh! Chhhhhhhhhh!

On se calma peu à peu et le silence finit par s'installer dans la pièce obscure. On n'entendait plus qu'une rare toux, un murmure ou un chhhhhhhhh.

Puis des pas dans le corridor. Et enfin, la voix d'Angelo qui s'adressait au concierge.

— Qu'est-ce qu'ils vont bien faire avec tout ça? De la contrebande?

Angelo partit à rire.

— Je ne sais pas. À moi, ils ne disent jamais rien. Tout ce que je fais, c'est nettoyer quand ils sont partis.

Le ton du concierge était des plus sérieux.

— Vous pouvez déposer ça là-bas. Le commutateur est juste à l'intérieur.

— SURPRISE! SURPRISE! SURPRISE!

La bouche d'Angelo était grande ouverte, ses yeux sortis de leurs orbites...

— Ce n'est pas pour moi. Non, ce n'est pas possible...

Les musiciens, qui s'étaient installés dans un coin, donnèrent la note et toute la salle entonna en chœur un «Cher Angelo, c'est à ton tour» un peu éraillé mais très enthousiaste.

— Angelina! Angelina! Où est mon Angelina?

Angelina sortit du demi-cercle qui s'était formé autour d'Angelo et le silence se fit.

— Joyeux anniversaire, Angelo!

Elle le serra très fort. Pendant ce temps-là, la foule sifflait et lançait des cris. La fête venait de commencer!

On rit beaucoup, on chanta, on dansa et on mangea, et on mangea... On se disputa un peu, on rit et on mangea encore. Angelina et Angelo ne laissèrent pas Martin s'éloigner d'un pouce et ils remplirent plusieurs fois son verre d'un mélange de vin et de soda.

— Tu es un jeune homme à présent, insista Angelo.

Il était maintenant très tard et la fête tirait à sa fin. Tout le monde était parti. Tout le monde, sauf les mordus de soccer qui étaient toujours plongés dans une de leurs discussions. Martin embrassa Angelo doucement sur les deux joues, lui souhaita un joyeux anniversaire, puis dit bonne nuit à tout le monde.

— Martin, juste une minute. Viens avec moi.

Angelo entraîna Martin et Angelina vers une table couverte de verres en plastique vides.

— Je ne sais pas comment vous remercier. Personne n'a jamais rien fait d'aussi beau pour

Angelo, dit-il en montrant la salle. Vous êtes tous les deux la seule famille que j'ai en Amérique et je vous aime tellement! C'est le plus beau, oui, le plus beau jour de ma vie!

15

Un visiteur inattendu

MARTIN SE SÉCHA ET SE FRIC-
tionna rapidement avec la serviette un peu rude.
Partout, sur son corps, la chair de poule réappa-
raissait plus vite qu'il n'arrivait à la faire dispa-
raître.

— Bonté divine, c'est glacial ici!

Martin n'avait pas remarqué s'il avait fait
aussi froid quand il était rentré de la fête, la veille.
Peut-être était-ce à cause du vin qu'il avait bu.
Ou peut-être qu'il n'avait vraiment pas fait aussi
froid.

— J'espère que ça va bientôt se réchauffer
ici, murmura-t-il en se demandant si le système
de chauffage était défectueux.

Il s'était penché pour prendre des sous-
vêtements dans la pile de linge qui gisait sur le

123

plancher à côté de lui quand il l'entendit. Il ne pouvait pas se tromper. Ce bruit de la porte qui claque, il l'avait entendu si souvent. Il resta figé sur place l'espace d'une seconde. Puis il l'entendit siffler. Le concierge! La visite des lieux! Seulement, ce n'était pas l'heure. On était samedi matin, 11h. Martin se préparait à partir pour l'épicerie qui n'allait ouvrir ses portes qu'après midi.

Il ramassa en hâte la pile de vêtements et de serviettes. Il éteignit et, nu, passa de la salle de douche à la salle d'équipement, faisant des pas de géant et marchant sur la pointe des pieds, le chien sur les talons. Il n'eut pas le temps de voir la chaussette de laine grise s'échapper du paquet et tomber sur le plancher, juste de l'autre côté de la porte qui se fermait.

Une fois à l'intérieur, il enfila bien vite son pantalon et passa son chandail rouge en coton ouaté sur ses cheveux encore tout mouillés. Il allait maintenant enfiler la chaussette grise.

— Mais, où donc est passée l'autre?

Il parcourut le plancher d'un coup d'œil rapide. Mais ce fut en vain.

— Ah! non! Elle est restée là-bas, dit-il tout haut.

Martin s'approcha de la porte et tendit l'oreille. Il mit un doigt sur ses lèvres pour faire signe à Mitcho de se tenir tranquille. Il était trop tard pour aller chercher la chaussette. Il savait, en l'entendant siffler, que le concierge était déjà dans le gymnase. Martin alla éteindre la lampe allumée à côté du matelas avant de rejoindre Mitcho dans le noir, face à la porte fermée.

Il n'entendit plus siffler. Il s'agenouilla à côté de Mitcho et sentit les muscles du chien se tendre. Son cœur à lui battait à tout rompre. Il sentait la sueur perler sur son front malgré le froid.

L'angoisse de l'attente, face à l'inconnu dont il n'était séparé que par une porte, ne tarda pas à l'envahir. Martin entendait le pas traînant se rapprocher de plus en plus de sa cachette. Mitcho laissa échapper un grognement sourd et continu qui s'intensifiait à mesure que les pas approchaient. Silence. Ils s'étaient arrêtés à quelques pieds à peine de la porte.

— Non! Non! Il ne faut pas qu'il entre ici!

Martin fit une prière en silence. Mitcho s'était arrêté de grogner, mais Martin pouvait sentir que le chien tendait ses muscles, prêt à toute éventualité.

Puis, la porte s'ouvrit d'un cran et une main chercha maladroitement sur le mur l'emplacement du commutateur. Dans les secondes qui suivirent, ce fut la confusion la plus totale: la lumière s'alluma; Mitcho montra toutes ses dents et aboya à pleins poumons pour faire peur à l'intrus; Martin se leva avec la vitesse de l'éclair; le vieil homme, une main sur le commutateur, laissa tomber sa boîte à outils. Un grand bruit se répercuta à travers tout le gymnase lorsque le métal heurta le plancher et les outils s'éparpillèrent. Martin vit les yeux agrandis, la bouche grande ouverte et lut l'incompréhension la plus totale qui habitait le visage blême du concierge.

— Aïïïïïïïïïïie!

Le concierge porta une main à sa poitrine et tomba bruyamment à la renverse.

— Aïe! mon cœur… dit-il en cherchant son souffle.

Martin vit la douleur tordre le visage du vieil homme et cette bouche restée ouverte comme un grand trou noir. Il fut pris de panique. Il enfila ses bottes sans se préoccuper de la chaussette manquante, attrapa sa veste dans le casier derrière lui et ferma la porte avec violence.

— Vite, Mitcho, sortons d'ici!

Il enjamba, sans le regarder, le concierge qui étouffait et s'élança vers l'escalier de secours tout en passant sa veste.

— Aïïïïïïïïïïie! non… non…

Martin s'arrêta sec et se retourna. Il vit l'homme, qui avait de plus en plus de mal à respirer, lui tendre une main dans un geste de supplication. Il hésita un peu avant de retourner à sa chambre. Puis il s'empara vite du sac de couchage et en recouvrit le concierge.

— Il faut que j'aille chercher de l'aide, Mitcho. Sinon, il va mourir. Reste auprès de lui.

Martin remonta le sac de couchage jusqu'au menton du concierge.

— Ne mourez pas! S'il vous plaît, ne mourez pas!

Martin se dirigea rapidement vers la porte. Il courut aussi vite qu'il pouvait à travers le corridor, puis à travers le terrain vague, jusqu'à l'Hôtel-Dieu de l'autre côté de la rue et monta les marches trois à trois. Jusqu'à l'entrée de l'urgence qui se trouvait au tournant. Il n'eut pas le temps de réfléchir aux conséquences de son geste. Tout ce qu'il voulait, c'était que le concierge ne meure pas. Il ne pouvait penser à rien d'autre.

— Il me faut une ambulance, vite! Il y a eu un accident. Quelqu'un est en train de mourir!

— Pas si vite, jeune homme.

L'infirmière en uniforme blanc le toisait par dessus ses lunettes.

— Quel genre d'accident?

— Je ne sais pas... une crise cardiaque, je pense. C'est le concierge de l'école, en face.

— Mais cette école est abandonnée. Ça fait plus de deux ans qu'elle est fermée maintenant.

La voix calme de l'infirmière ne fit rien pour diminuer le sentiment de panique que ressentait Martin.

— Oui, je sais... mais je n'ai pas le temps d'expliquer maintenant. S'il vous plaît... envoyez une ambulance!

— Ça va, ça va. Calme-toi!

L'infirmière prit le téléphone et se mit à composer un numéro.

— J'y retourne.

Martin sortit en courant.

Au retour, il trouva Mitcho debout au-dessus du concierge et lui léchant le visage. La respiration était courte et irrégulière. Martin prit une des mains du vieil homme et se mit à la frotter comme il avait vu faire à la télévision.

— S'il vous plaît, ne mourez pas. S'il vous plaît, ne mourez pas.

Il n'aurait pas pu dire si cinq minutes ou cinq heures s'étaient écoulées lorsqu'il entendit la porte principale, qu'heureusement le concierge n'avait pas verrouillée, s'ouvrir enfin.

— Par ici, en bas! cria-t-il.

Il entendit le bruit de l'équipement avant même d'apercevoir les deux ambulanciers qui traversaient le gymnase dans sa direction. Deux policiers suivaient derrière. Martin s'écarta pour les laisser travailler.

On enleva rapidement le sac de couchage. Un des ambulanciers releva les paupières du concierge pour examiner ses yeux pendant que

128

l'autre défaisait sa chemise et écoutait attentivement les messages du stéthoscope.

— Rien. Je n'entends rien.

Il leva le poing et frappa violemment l'homme à la poitrine. Martin tremblait.

— J'entends quelque chose maintenant. Mais pas grand-chose. C'est faible, dit l'ambulancier qui était encore une fois à l'écoute de son stéthoscope. Amenez l'oxygène. Vite, aux soins intensifs. On n'a pas beaucoup de temps. Il s'en va vite.

Un des ambulanciers plaça un masque sur le visage bleu et ouvrit les valves de la bonbonne d'oxygène pendant que son collègue préparait la civière. Ensemble, ils y placèrent le concierge et l'attachèrent soigneusement pour qu'il ne tombe pas. Un à chaque extrémité de la civière, ils se dirigèrent vers l'ambulance, un policier les précédant pour ouvrir les portes.

Martin avait fait tout ce qu'il pouvait et se sentait soulagé que tout soit maintenant entre les mains d'experts. Tout ce qu'il pouvait faire à présent, c'était espérer. Le deuxième policier, qui n'avait encore rien dit, examina Martin et Mitcho. Toujours sans rien dire, il se dirigea vers le vestiaire et inspecta les lieux. De retour dans le gymnase, il enleva sa casquette et se gratta la tête.

— Tu vas venir avec moi.

Ils se dirigèrent tous les trois, lentement et en silence, vers l'escalier. Martin ne regarda pas en arrière.

16

Un taxi, une adresse

MARTIN NE POUVAIT RIEN FAIRE d'autre que d'attendre. Il avait raconté son histoire. Il avait essayé de bien se rappeler chacun des détails. Il avait tout raconté, encore et encore, à des policiers en uniforme, à des détectives, à des gens dont il ignorait la fonction. Tout ce qu'il avait dit avait été noté. Il était fatigué d'être assis comme ça, sous l'éclairage brutal des néons, et d'avoir à répondre à une suite interminable de questions. À huit heures du soir, tout ce qu'il voulait, c'était échapper à cette lumière violente. La porte du petit bureau s'ouvrit, le détective qui avait été le dernier à l'interroger en sortit et vint s'asseoir sur le bord du pupitre, à côté de la chaise où Martin était lui-même assis.

— Eh bien! Martin, nous avons vérifié avec beaucoup de soin tout ce que tu nous as dit. Je viens de parler au téléphone avec un avocat de la Commission scolaire et, vu les circonstances, ils ne porteront aucune plainte contre toi. Au pire, ils auraient pu te poursuivre pour entrée non autorisée, ce qui n'est pas si grave que ça de toute façon.

— Le concierge, comment est-il?

Martin s'était posé cette question des milliers de fois pendant son interrogatoire.

— Rassure-toi, Martin. Il va s'en sortir. Son état est stable. Il est hors de danger... Il est réveillé et il se repose.

Martin prit une bonne respiration. Il se sentait responsable. Ça ne l'avait pas aidé d'apprendre que le concierge avait déjà fait d'autres crises cardiaques, que son cœur était déjà affaibli, que personne ne rejetait le blâme sur lui. En son âme et conscience, il savait que c'était lui qui avait effrayé le vieil homme. Si ce n'avait été lui et Mitcho...

— Alors, continua le détective, je suppose que tu es libre de t'en aller. Nous n'avons plus besoin de toi maintenant. Il y a quelqu'un qui veut te voir. Je vais vous laisser seuls. Je veux seulement te souhaiter bonne chance, Martin. J'espère que tout ira bien pour toi à présent.

Martin prit la main que le détective lui tendait et la serra fermement. Le détective tira la porte derrière lui et laissa Martin seul.

— Libre de m'en aller!

Martin laissa échapper un rire sarcastique.

— Libre de m'en aller où?

Il n'avait pas eu le temps de se demander quel sort l'attendait. Ils l'avaient libéré de la seule vie qu'il avait. De la vie qu'il s'était bâtie avec tant de soin et tant d'effort depuis quelque douze semaines. Est-ce que la liberté n'était qu'une permission de retourner au cauchemar duquel il s'était échappé? La porte s'ouvrit doucement. Martin aperçut tante Hélène, debout en face de lui. Il vit immédiatement qu'elle avait l'air fatigué et les traits tirés. Son maquillage était affreux. Ses vêtements étaient froissés et ses cheveux en désordre. Un étranger aurait pu penser qu'elle avait l'air bien mais, aux yeux de Martin, qui lui la connaissait, elle avait l'air horrible.

— Martin, je suis désolée... dit-elle en laissant traîner sa voix et en baissant la tête pour se moucher.

Martin se leva et alla vers elle.

— Tante Hélène!

Il l'embrassa.

— Tante Hélène, je suis désolé aussi... mais ça va, je ne suis pas blessé ou quoi que ce soit. On en parlera une autre fois. Tout ira bien. Tu verras... Tout ce que je veux, c'est sortir d'ici. Est-ce qu'on peut s'en aller maintenant?

Hélène fit un signe affirmatif en ravalant ses larmes et lui adressa un sourire un peu tordu.

— Oui, on peut s'en aller.

Tante Hélène passa son bras sous celui de Martin et ils marchèrent en silence à travers les longs corridors, puis sortirent. L'air du soir était frais. Martin héla un taxi et aida sa tante à monter avant lui. Il donna au chauffeur l'adresse de la rue Tupper et se tourna vers sa tante.

— Et Mitcho? Si quelque chose était arrivé à Mitcho, je ne me le pardonnerais jamais.

— Mitcho va bien. Je l'ai ramené à la maison il y a un bon moment. Il t'attend. À propos, il y a une autre surprise pour toi... à la maison.

Tante Hélène regarda par la fenêtre pendant que le taxi s'engageait sur le boulevard Dorchester. Elle se prépara à parler, puis s'arrêta pour avaler.

— Martin... oncle Réjean sera là demain. Il... euh... il veut te parler. Vas-tu accepter de le voir?

— Pour quoi faire? Je veux dire... qu'est-ce que ça va donner? Je n'ai rien à lui dire.

— Je sais, c'est difficile pour toi, Martin. Légalement, il est toujours responsable de toi, tu sais... malgré tout. S'il te plaît, rencontre-le... pour moi... s'il te plaît?

— De quoi est-ce qu'il veut qu'on parle?

— Je pense qu'il vaudra mieux qu'il te le dise lui-même. Tu ne comprendras peut-être pas bien

134

tout de suite... Il t'aime beaucoup, Martin. Parle-lui... pour moi?

— Bien, tante Hélène. Je vais lui parler... pour toi.

— Merci!

Hélène serra doucement le bras de Martin.

Martin regarda à son tour par la fenêtre. Le taxi vira sur la rue Tupper où Martin aperçut cette camionnette si familière qui portait l'inscription «Épicerie Carrera» sur le côté.

— Je suppose que tu sais tout à propos d'Angelo et d'Angelina? demanda-t-il.

— Oui. Ils sont à la maison. C'est la surprise dont je t'ai parlé. Ils ont su avant moi qu'on t'avait retrouvé. J'étais au travail quand les policiers ont téléphoné la première fois. Ce sont des gens formidables... Je suis tellement contente que tu les aies eus...

Le taxi s'arrêta devant chez Hélène.

Martin regarda cette maison qu'il n'avait pas vue depuis si longtemps. La porte s'ouvrit et Nathalie parut. Elle serrait les bras autour de son corps pour combattre le froid. Martin sauta hors du taxi, laissant derrière lui Hélène qui cherchait de la monnaie dans son portefeuille, enjamba rapidement les marches pour se retrouver face à face avec Nathalie.

— Martin... j'ai tellement honte... mais je ne pouvais pas faire autrement...

Martin mit ses doigts sur les lèvres de Nathalie pour l'empêcher de dire des choses inutiles. Elles étaient tellement chaudes, ces lèvres, qu'il ne put s'empêcher de les embrasser. Il avait un tel besoin de ce contact et de cet amour. La hardiesse de son geste le fit rougir, mais il était quand même content de l'avoir osé. Tante Hélène les rejoignit et ils entrèrent tous les trois dans la maison. Martin passa un bras autour de chacun des deux femmes.

À l'intérieur, Mitcho les accueillit avec son enthousiasme habituel. Il sautait et courait d'une pièce à l'autre. Martin trouva ses amis Angelo et Angelina devant le feu allumé dans la cheminée. Sur la table à café devant eux, étaient déposés les bocks de lait de poule que Nathalie leur avait servis. Ils prodiguèrent à Martin leur flot habituel de caresses, de baisers humides et de paroles.

Une fois que tout le monde eut en main sa boisson et que les accolades furent terminées, un silence inconfortable tomba sur le groupe, chacun retournant à ses propres préoccupations. Cela ne dura pas longtemps cependant. Angelo et Angelina, par une combinaison faite de chaleur et de bonne humeur toutes naturelles, les firent bientôt tous sortir de leur coquille. Les questions et les inquiétudes furent mises de côté et en un rien de temps ils se mirent à parler tous ensemble. Martin raconta les péripéties de sa vie des derniers mois avec enthousiasme, en exagérant un peu pour impressionner Nathalie. Il était déjà minuit passé quand Angelina entraîna Martin vers la cuisine.

— Martin, je voulais seulement te dire que je suis fière de toi. Angelo aussi. Même si tu as fait des bêtises, tu as eu beaucoup de courage.

Angelina se frappait la poitrine pour mieux marquer ce qu'elle allait dire.

— Tu vas bien réussir dans tout ce que tu vas entreprendre. Je sais que tout va bien aller pour toi! Où tu iras vivre, et tout le reste... ce n'est pas à moi de décider. Mais, quoi qu'il arrive, je t'aime et Angelo, lui, te considère comme son propre fils. Tu fais partie de notre petite famille, tu sais. S'il te plaît, ne nous oublie pas. Tu seras toujours bienvenu chez nous, peu importe. Tu entends?

Angelina tira Martin vers elle et le serra bien fort.

— Maintenant, nous devons rentrer à la maison. La journée à été bien longue pour tout le monde.

Les Carrera prirent congé et s'en allèrent.

Martin aida Nathalie à mettre son manteau et ils sortirent tous les deux. Ni l'un ni l'autre ne dit mot pendant qu'ils firent quelques pas et montèrent les marches jusque chez Nathalie.

— Je ne sais pas comment dire ça, Nathalie. Je veux dire... c'est la première fois. Veux-tu être ma petite amie? On n'a pas besoin de le dire à qui que ce soit... en autant que toi et moi, on le saura...

Nathalie regarda Martin dans les yeux et lui signifia qu'elle acceptait.

Ils s'enlacèrent tendrement et les lèvres de Martin pressèrent celles de Nathalie dans un long et tendre baiser. Il se laissa aller complètement. Le monde autour de lui avait cessé d'exister. Le monde avait disparu, il s'était fondu dans ce goût nouveau et merveilleux.

17

Une deuxième chance

MARTIN TIRA SUR LES PETITES boucles pour bien serrer ses lacets. Il se redressa et, d'un bond, quitta le bord de son lit. Cela faisait bien longtemps qu'il n'avait pas dormi sur un bon matelas et il avait presque oublié combien c'était bon. Toute cette expérience de revenir à un vrai foyer avait été pour lui une révélation. C'est ce qu'il avait découvert hier soir, à son retour chez tante Hélène. L'eau chaude, un bon éclairage, une cuisine, une vraie salle de bains, il avait toujours considéré ces choses comme allant de soi, comme un poisson par rapport à l'eau. C'était là. Rien de bien spécial. Mais le fait d'avoir été privé de toutes ces bonnes choses pendant une couple de mois avait permis à Martin de les voir d'un tout autre œil. Jamais plus il n'allait les prendre pour acquises!

La rêverie de Martin fut interrompue par un coup discret frappé à la porte.

— Martin, c'est moi, oncle Réjean... Est-ce que je peux entrer?

Martin n'était pas prêt mentalement pour cette rencontre. Il jeta un coup d'œil au réveille-matin: dix heures. Il se ressaisit et rentra sa chemise dans son pantalon. Il tira les couvertures sur le lit dans un effort pour mettre un peu d'ordre, puis alla se placer près de la fenêtre au fond de la chambre, le derrière des mollets appuyé sur le calorifère bien chaud. Il prit une longue respiration.

— Entre!

Les deux hommes se regardèrent. Mitcho s'échappa par la porte ouverte comme s'il sentait qu'il devait laisser son maître seul, comme si sa présence était de trop cette fois. Réjean ferma doucement la porte. Martin trouva qu'il avait gagné du poids. Son visage était plus rond, semblait-il. Son oncle portait une veste de ski et, nerveusement, tournait et retournait sa tuque dans ses mains. Il avait enlevé ses bottes en entrant pour ne pas laisser de traces de cette sale neige de décembre dans la maison. Une de ses chaussettes de laine bleue était à demi-enlevée de sorte que le bout traînait de quelques pouces.

— Allô, Martin... je... merci de me voir.

Réjean avala sa salive.

— J'aurais compris si tu n'avais pas voulu...

L'oncle Réjean était très mal à l'aise. Il ne savait pas par où commencer.

— Est-ce que je peux? dit-il en indiquant un fauteuil de sa tuque.

Martin fit signe que oui et Réjean s'assit. Martin se sentit soudainement un peu ridicule, appuyé comme ça sur le calorifère, et il alla s'asseoir sur le bord du lit, à quelques pieds de son oncle.

— Je ne sais pas comment dire... je veux dire... je regrette tellement...

Réjean passa la main dans ses cheveux noirs.

— Je regrette ce que je t'ai fait. Je ne t'en veux pas d'être parti. Je sais... je sais... tu n'avais pas le choix.

Réjean regarda ses pieds puis avala avant de continuer.

— Je pense que je te dois beaucoup et que je ne pourrai jamais te revaloir cela. Tu m'as vraiment donné une deuxième chance. Je n'ai rien bu depuis au moins deux mois. Je sais que je suis un alcoolique... je... euh... je vais chez les Alcooliques Anonymes... et... je suis en thérapie. Je ne sais pas pourquoi j'ai fait tout ce que je t'ai fait... pourquoi je t'ai battu et tout. Tu étais... tu es... ce qu'il y a de plus important dans ma vie. Je ne sais pas pourquoi j'ai fait tout ça, mais je te promets que ça ne se reproduira plus... Je ne lèverai plus jamais la main sur toi ou sur qui que ce soit, aussi longtemps que je vivrai... je le jure!

L'oncle Réjean s'effondra et porta les mains à son visage pour se redonner une contenance. Martin ne dit rien. Il ne savait pas quoi dire vraiment, ni comment réagir. Une très longue minute finit par passer.

— Je ne peux pas te demander de revenir vivre avec moi. Je ne voudrais pas t'imposer ça. Tout ce que je peux espérer, c'est qu'un jour peut-être... un jour tu arriveras à me pardonner...

Martin sentit un frisson le traverser. Il restait assis sans bouger. Il ne savait que faire ou que dire. Jamais il n'avait vu son oncle dans un tel état. Il était reconnaissant de voir que le regard de Réjean s'était posé sur le plancher et non pas sur lui.

— Martin, j'ai beaucoup réfléchi à tout ça ces derniers temps. As-tu pensé à ton avenir... à ce que tu veux faire maintenant?

Martin regarda lui aussi le plancher et hocha la tête.

— J'en ai parlé avec Hélène. Nous... nous avons une suggestion... tu n'es pas obligé de décider tout de suite... mais penses-y bien...

Martin réussit à regarder son oncle dans les yeux pour la première fois depuis qu'il était entré dans la chambre.

— Elle ne pense pas que tu pourrais venir vivre ici... parce qu'elle... elle doit s'absenter si souvent à cause de son travail. Nous pensons tous les deux que ce qu'il te faut, c'est une famille, une vraie famille...

Martin sentit son corps se tendre en attente des paroles de son oncle.

— Nous en avons parlé et nous voulons savoir ce que tu en penses. M. et Mme Carrera... ils ont suggéré... ils sont d'accord... si tu veux, tu pourrais aller vivre avec eux... la semaine. Tu pourrais venir passer les fins de semaine ici avec Hélène. Ils aimeraient beaucoup t'avoir chez eux. Ils t'aiment beaucoup... nous t'aimons tous beaucoup. Nous voulons tous ce qu'il y a de meilleur pour toi, Martin!

Réjean se leva. Il s'arrêta un moment vis-à-vis de Martin, tordant sa tuque entre ses mains. Martin ne bougeait pas. Il avait les yeux rivés sur la fenêtre. Réjean s'éloigna tranquillement et se dirigea vers la porte.

— Bien!... il faut que je m'en aille. Pense à tout ça, Martin. Rien ne presse. On en reparlera quand tu seras prêt.

L'oncle Réjean ouvrit la porte pour s'en aller.

— Oncle Réjean...

Martin regarda par dessus son épaule le pauvre homme qui se tenait dans l'embrasure et, après une courte pause, se leva et lui fit face.

— Penses-tu... que tu pourrais venir passer Noël ici, avec nous?

Réjean hocha la tête et plissa les yeux pour retenir les larmes qui montaient. Il fit signe que oui. Martin s'approcha de son oncle en lui tendant la main. Réjean la prit et la serra, puis posa son autre main sur celle de Martin.

— Merci... merci...

Réjean sortit et ferma la porte derrière lui.

Martin alla s'étendre sur le lit. Il regarda le plafond et sourit. Son épreuve était finie. Lui aussi, il avait une deuxième chance!

Imprimé au Canada par
Transcontinental Métrolitho